Editora Gente

Contatos com o autor
roberto@institutogente.com.br
www.shinyashiki.com.br

Mistérios do Coração

Roberto Shinyashiki

Editora Gente

Editora Rosely M. Boschini
Capa Tide Hellmeister
Revisão Amália Ursi/ Gilberto Cabeggi
Editoração Eletrônica Editora Gente

Dados Internacionais de Catalogação na Publicação (CIP)
(Câmara Brasileira do Livro, SP, Brasil)

Shinyashiki, Roberto T., 1952
Mistérios do coração / Roberto T. Shinyashiki. 1º ediçãọ - 1990. São Paulo: Editora Gente.

Bibliografia
ISBN 85-85247-07-X
1. Amor 2. Casamento 3. Comunicação no casamento 4. Papéis sociais I. Título

91-1095 CDD-158.24
155.632
305.42
646.78

Índices para catálogo sistemático:
1 - Amor: Relações familiares: Psicologia aplicada
2 - Casais: Relacionamento 646.78
3 - Homens: Comportamento: Psicologia 155.632
4 - Mulheres: Papéis sociais: Sociologia 305.42

Rua Pedro Soares de Almeida, 114, São Paulo - SP
CEP 05029-030 - Telefax: (11) 3670-2500
Site: www.editoragente.com.br
E-mail: gente@editoragente.com.br

MISTÉRIOS do CORAÇÃO

O amor sempre
procura se
realizar ...

Mulheres e homens vivem morrendo de medo uns dos outros. Como aquela pessoa que encontra um camundongo na cozinha e ambos ficam parados, petrificados, um com receio da reação do outro...

Os dois estão assustados, sem se dar conta desse medo recíproco.

Os homens, depois de passada uma certa euforia pela libertação sexual da mulher, descobriram que esse movimento, além de trazer mais alguns momentos de prazer, exigia também uma nova postura de ambos diante da vida.

Hoje, vemos que o casamento, não necessariamente aquele de papel passado, voltou a estar na moda. As pessoas querem algo mais que alguns momentos gostosos, embora, mais do que nunca, não aceitem viver sem prazer.

Basicamente, nesse contexto, vemos que dois impasses afloram: um entre os solteiros e outro entre os casados.

Parece que os solteiros cansaram de andar de bar em bar à procura de alguém e estão descobrindo que, além de olhos e genitais, possuem um coração que lhes pede profundidade para se entregar.

Sua nova visão de vida os faz perceber que é fundamental exercer a liberdade de seus corpos e de suas mentes, mas que a entrega é algo ainda mais fascinante do que a conquista. E que viver apenas em conquistas cria um estilo de vida excitante, porém, praticamente tira a possibilidade de se viver em paz.

E viver sem paz torna-se incômodo, pois a paz é, na realidade, a única maneira de nos sentirmos parte da Existência e o único caminho para o sentimento de se pertencer à raça humana.

Já as pessoas casadas vivem um outro dilema.

Os homens perceberam que é muito insatisfatória a vida baseada somente em conquistas, sem ter o prazer de desfrutar das vitórias e querem construir relações de companheirismo. Contudo, além de não saberem como fazê-lo, perceberam que a mulher que escolheram para cuidar dos seus bens enquanto estavam fora precisou de uma capacidade de anulação tão grande para cumprir seu papel, que já não se torna atraente quando eles querem uma convivência maior e mais íntima.

Por outro lado, algumas mulheres perceberam que queriam algo mais da vida além de cuidar de assuntos dos homens e saíram de casa para se realizar; mas a maioria, infelizmente, seguiu o modelo masculino, solitário, e, para piorar, encontrou os homens assustados com mulheres sobre as quais não tinham controle.

E as frustrações foram aumentando, à medida que se procuravam soluções que visavam mudar o outro, sem se considerar que o crescimento verdadeiro provém do ato de olhar para dentro de si mesmo.

Muitos homens viviam à imagem do cavaleiro medieval, conquistando reinos, cumprindo ordens de reis e suas amadas e deixavam de lado as suas próprias vidas.

Os homens se preparavam para uma vida do lado de fora do castelo e acabavam não sabendo estar junto às pessoas que lhes eram importantes.

Como deveria sentir-se um cavaleiro medieval, acostumado a estar em constantes batalhas no campo, naqueles momentos de trégua, quando voltava para o castelo e descobria que a mulher e os filhos já haviam se organizado para viver sem ele?

Certamente, para seu espírito de aventura, a vida pareceria muito vazia dias após dia, no mesmo lugar, com as mesmas pessoas, que já não se importavam com a presença dele.

E é aí que reside o grande desafio que o ex-cavaleiro medieval tem de enfrentar: *descobrir a beleza que o cotidiano pode esconder...*

De repente, o soldado parou e perguntou a si mesmo o que estava fazendo no Vietnã, numa luta que não era sua, longe do lugar em que gostaria de estar, e muitas vezes envolvido numa batalha perdida. Qual era o sentido de tudo isso? Não seria melhor estar em casa, procurando conquistar sua mulher e seus filhos, mesmo que lhe parecesse monótono?

Este é o grande aprendizado: *saber estar com quem se ama.* Saber reconhecer e mostrar ao outro, mesmo que por poucos minutos, o quanto ele é importante. Saber deixar o jornal de lado, abandonar a televisão e outras coisas, para simplesmente ficar, de verdade, ao lado de quem se ama. Isso é o que realmente vai importar, quando você for avaliar a sua vida.

As mulheres, por seu turno, foram criadas para ficar dentro do castelo, se anulando, enquanto seus homens lutavam. Algumas foram à luta, movidas por seu desejo de realização, insatisfeitas com o papel de coadjuvante. Porém, assumiram o tipo masculino de viver: solitário, andarilho, reprimindo o medo e o afeto.

Tornaram-se também cavaleiros andantes medievais... Mas agora o castelo ficou abandonado.

Uma boa parte dessas mulheres descobriu que o sucesso profissional não elimina o desejo de ter um companheiro. Parece que, no entanto, desaprenderam a arte de conquistar um homem que as interesse. Os homens que elas dominavam geralmente não despertavam seu interesse. E com aqueles que admiravam, estabeleciam, inconscientemente, uma relação de competição.

Hoje, começam a ver a possibilidade de se apaixonar por homens mais simples e de aprender a viver cooperativamente com aqueles que consideram fortes.

Outras seguiram esperando dentro do castelo e, quando seus cavaleiros não voltaram, sentiram-se perdidas e se puseram a reclamar, querendo que eles cumprissem suas promessas de retorno. E acabaram mandando-os embora ainda mais rápido. Amargaram uma sensação de traição muito grande, porque não haviam desenvolvido outra coisa, senão a capacidade de cuidar dos outros e de pensar que mereciam recompensas por esse trabalho. Acabaram estimulando mais a piedade dos homens do que seu desejo, mais sua culpa do que a alegria. Acabaram se transformando em um peso para aqueles que as amavam.

Hoje, as mulheres começam a perceber que não há sentido algum em se matar de trabalhar para manter um castelo que só é visitado nos aniversários e nos Natais. Estão trocando esse castelo por um apartamento pequeno e se dando mais tempo para viver realmente suas vidas.

Homens e mulheres começam a compreender que cada ser humano tem, dentro de si, uma busca amorosa e que os tropeços na caminhada são mais uma demonstração de inabilidade em estar juntos do que uma tentativa gratuita de diminuir um ou outro.

É lindo ver que, depois de séculos de acusação, como se o outro fosse o inimigo, as pessoas começam a olhar para dentro de si mesmas, a fim de procurar o que pode não estar funcionando direito em seus relacionamentos. Sim, porque se o amor não está acontecendo como elas querem, existem apenas dois pontos a ser questionados: ou não se está com a pessoa certa, ou a maneira de amar é que está errada.

O amor sempre procura se realizar, assim como o rio sempre corre para o mar. Não adianta viver acusando o outro pelos erros, quando se sabe que dentro de si mesmo existem medos e bloqueios não-resolvidos.

Não podemos continuar a agir como se fôssemos joguetes de um sistema que procura criar inimigos, para que as pessoas estejam sempre na defensiva, amem menos, sejam pouco criativas e vivam situações que as tornam empobrecidas. Quanto mais solitários formos, mais desunidos seremos. Desse modo, perdemos a força de grupo e deixamos que a sociedade seja controlada por uns poucos manipuladores.

O homem não é inimigo da mulher. A mulher não é inimiga do homem. Na verdade, não existe inimigo. O inferno não é o outro, mas está dentro de cada um de nós, em nossos medos.

Lembro bem de quando era criança e meu professor de judô dizia: "Quando lutar, perceba que está lutando contra você mesmo. Os únicos adversários são seus próprios medos. E se lutar contra o outro lutador, vai perder mesmo que ganhe a disputa. Mas se entender que a sua batalha é contra os seus medos, você irá ganhar, não importa qual seja o resultado do combate contra o seu adversário".

O preço pago por tantas mudanças na mentalidade das pessoas tem sido alto: muitas agressões que não tinham razão de ser, separações que não eram necessárias, acusações vazias e desistências do processo de crescimento, por medo de se machucar.

Porém, hoje homens e mulheres estão deixando de lado as divisões de tarefas, abandonando as especializações e começando a se desenvolver por inteiro. São seres humanos à procura de sua própria história.

Possivelmente, no futuro, teremos mais casais que trabalhem em casa, em profissões diferentes ou não, em que cada um tenha a possibilidade pessoal de sucesso. Trabalharão menos tempo e criarão situações de intimidade mais freqüentes. Haverá oportunidades para que ambos participem e colaborem juntos nas atividades domésticas, na educação e nos cuidados dos filhos. E os filhos poderão ajudar no trabalho dos pais, de um jeito informal e progressivo, o que lhes dará a oportunidade de sentir sua própria importância dentro da vida familiar.

E, lado a lado com esse profundo envolvimento, serão respeitadas as necessidades individuais de exploração do mundo, o que facilitará às pessoas mergulhar em suas buscas espirituais.

Haverá vida amorosa no interior do castelo, explorações a dois no mundo externo e espaço para as viagens de cada um...

Mas há que se lembrar que os relacionamentos são frutos da condição interior de cada um; que não adianta querer dar um salto de qualidade na vida do casal, se os parceiros não têm dentro de si as condições necessárias para esse mergulho.

É o momento de nos livrarmos dos condicionamentos do passado, dos mecanismos de sofrimento, e começar a nos deixarmos livres para criar nossa própria maneira de amar.

Parece que as pessoas vivem eternamente sobrecarregadas, como aquele turista que carrega muitas malas e acaba não desfrutando da viagem, assumindo o peso de não saber abrir mão das atividades que não mais lhes interessam.

Cuide melhor de você mesmo. Relaxe e se dê um tempo. É melhor colocar as malas no chão, olhar os arredores, o mapa, e então decidir para que lado ir.

Saiba quais são as prioridades em sua vida e crie condições para realizá-las.

É muito frustrante dedicar uma vida a realizar certos objetivos e acabar por perceber que talvez não fosse isso o que você gostaria de ter vivido.

É muito triste ver o número de pessoas bem-sucedidas, de mais de sessenta anos, que nunca tiveram um momento de paz em sua vida. Ficam depressivas por perceberem que, profissionalmente, conseguiram aquilo a que se propuseram, mas que não são felizes.

Da mesma forma, é triste assistir à mulher que dedicou sua vida inteira ao marido e aos filhos, de repente, ver o casamento acabar, os filhos saírem de casa e perguntar a si mesma para que serviu tanto sacrifício...

Geralmente, a mulher se perde ao querer servir sem pensar em si própria, e o homem ao querer conquistar sem pensar no seu coração.

Homens e mulheres percorreram durante muito tempo uma estrada errada, que não os levava aos seus objetivos. Então, por mais que seja desanimador, não lhes resta outra alternativa, a não ser imaginar um jeito de encontrar o caminho certo. Por isso, é chegada a hora de parar com as acusações e reclamações e perceber que *amor se resolve de forma amorosa.*

E a melhor maneira de ser amoroso na resolução desses conflitos é prestando atenção a pequenos detalhes do dia-a-dia, como estes:

É grande o número de homens que reclamam que a mulher os sufoca. Pode ser que, parcialmente, isso seja verdade, pois as mulheres têm uma história muito longa de se deixar em segundo plano; e agora procuram aprender os segredos da conquista. E enquanto se está aprendendo algo, nem sempre se faz da melhor maneira.

É importante ver que quem ama deseja estar junto da pessoa amada. E, nesse ponto, muitos homens pecam por não ter aprendido a ficar em casa sem estar lendo alguma coisa, ou assistindo à televisão.

O homem perde muito quando não se permite viver por inteiro, como o machista que consulta a agenda, e não o coração, para escolher com quem vai transar naquele momento. Na verdade, ele não só está perdendo o melhor das mulheres, como está deixando de lado o melhor dele mesmo.

Algumas pessoas reclamam que o outro não quer envolver-se, que vive fugindo. Em parte pode ser verdade; mas é importante verificar se estão exigindo demais dele, se estão querendo que ele lhes dê tudo o que quiseram receber da vida inteira e não tiveram. Ninguém tem culpa se você acumulou uma série de carências em sua vida.

Se você viveu cuidando de seu pai alcoólatra, teve uma infância pobre, perdeu a juventude trabalhando e estudando o tempo todo, viveu muito tempo num casamento insatisfatório, ou passou anos em depressão, tudo isso é *uma experiência de sua vida*. Você pode até compartilhá-la com o outro, porém não vai funcionar querer que ele assuma essas carências por você.

Cada um tem de se fazer responsável pelo que viveu no passado. Viver cobrando isso do outro, ou querendo compensar suas necessidades, é o mesmo que ficar mandando mais cartas para um endereço errado. Tem-se muito trabalho, contudo, o resultado é sempre pobre.

Muitas pessoas alegam que seus parceiros são histéricos e estão sempre gritando como loucos. Mas é importante saber que, se alguém está gritando, está fazendo uma tentativa de ser ouvido. É mais ou menos como um recém-nascido: quando tem uma necessidade, chora baixinho; se não é atendido, chora mais alto e depois berra. Se mesmo assim não é cuidado, desiste de pedir ajuda e fica quieto no seu berço. Se os pais só o atendem quando berra, ele vai passar a fazer um barulhão toda vez em que quiser algo.

Se você reclama que o outro vive gritando, é importante analisar se está sabendo ouvi-lo e procurar, juntos, uma forma de conversar.

E se isso não der resultado, grite também! Assim o outro perceberá que você quer ser escutado.

Outras pessoas reclamam de não conseguirem alguém para realizar sua vocação amorosa. Convém analisar alguns aspectos, tais como o fato de hoje em dia as relações não começarem estáveis e com promessas sérias, como antigamente. Não interessa analisar se isso é certo ou errado. É apenas a maneira como as pessoas estão procurando o seu amor. As pessoas marcam um outro encontro, porque o anterior foi interessante; e marcam um terceiro, porque deu vontade de continuar, e assim por diante, até chegar um momento em que elas resolvem estabilizar a relação.

Da forma antiga, isso também é possível ocorrer, mas se torna muito mais difícil.

Aliás, é importante sempre ter em mente que você pode conquistar uma pessoa da maneira que quiser e tem o direito de recusar aquela que não quer.

Outra coisa que é fundamental: *é muito importante deixar claro o seu desejo de estar com alguém.*

Muitas pessoas mantêm a postura de quem não tem o menor interesse em alguém... É importante que seu corpo reflita o que se passa no seu interior — algumas mulheres ainda têm vergonha de mostrar o seu interesse por um homem e parecerem vulgares. Todos têm o direito de mostrar os seus sentimentos, sejam eles quais forem.

Há também quem mantenha uma expressão corporal de indiferença, ou de quem só pensa em trabalho, sem contar aqueles que aparentam estar bem casados, quando na realidade estão sozinhos e querendo alguém para amar.

As pessoas reagem às suas ações e à sua postura... E não às suas intenções. A menos que deixe claro os seus desejos, você terá somente respostas ao que demonstrar.

As pessoas estão muito ariscas e, se não sentirem que vão encontrar receptividade, é muito raro que se arrisquem. Portanto, isto é algo para a maioria aprender sobre amar: é necessário *criar a atmosfera adequada,* para que as pessoas desabrochem em sua capacidade de se dar.

Para as mulheres que dizem não existirem homens disponíveis, é importante responder a esta pergunta: "Por que algumas mulheres conseguem ter sempre um homem com elas e outras estão sempre sozinhas?"

Certamente, a resposta não está em beleza, dinheiro ou cultura.

Todos procuram alguém para amar, cujos olhos prometam um romance... Saiba que esse talento só tem a ver com *viver apaixonado pela vida*, e não com ficar indiferente em relação às coisas que o cercam.

Se você quer alguém para amar, tem de aprender a ser romântico. Tem de pensar carinhosamente no que quer conquistar e colocar sua mente e seu coração nisso.

Há pessoas que, quando se relacionam com alguém, reclamam tanto dos problemas que dão a impressão de estar procurando um analista; outras reclamam da saúde, como se estivessem diante de um médico; outras falam tanto de problemas financeiros, que até parecem estar falando com um gerente de banco, à procura de um empréstimo.

A maioria das pessoas que não conseguem alguém para amar, na verdade não colocaram o amor como prioridade máxima. Dizem que o querem, mas sua postura não reflete esse desejo.

Se ninguém arrisca uma relação mais séria com você, seria bom ver o que está fazendo para afastar as pessoas.

Muita gente passa a vida inteira esperando que algo aconteça e tem vergonha de pedir diretamente o que precisa. Chega um momento em que resolve mudar e passa a buscar resultados imediatos. Então fica muito impaciente consigo mesma.

É importante, às vezes, seguir o exemplo dos camponeses, que sabem que determinadas culturas não se adaptam à sua região e não as plantam. Porém, quando plantam a cultura adequada, sabem esperar o momento certo para colher seus frutos.

Às vezes, uma pessoa começa um belo trabalho consigo mesma. Mas como as mudanças não são percebidas pelos outros e, conseqüentemente, os resultados não aparecem logo, ela se decepciona e desanima.

Apenas tenha a consciência de estar fazendo o certo. Levará algum tempo até que isso seja reconhecido pelos outros, mas você deve ter fé e acreditar em si mesmo.

Com relação à solidão, se você estiver com alguém, comemore, esteja junto, curta. Contudo, se estiver sozinho, isso não significa que está na solidão. Aproveite para se conhecer melhor, curtir você mesmo; é um momento especial, em que você pode viver em paz.

Estar só é uma oportunidade para se tomar banho sem se preocupar com o relógio, ir assistir aos filmes que se quer, conhecer as pessoas que bem entender. Convém lembrar que aquela história de que *mulher, para estar feliz, tem de estar obrigatoriamente com alguém* não passa de um preconceito tolo.

Não é bom que pessoas escolham a solidão por terem ficado desapontadas com os parceiros que tiveram, ou por se sentirem sem saída na vida a dois. Geralmente, essa opção torna essas pessoas muito amargas e críticas.

Porém, não vejo razão para que alguém se desespere por estar sozinho e saia fazendo coisas que ferem seus valores. Para fugir de uma situação que poderia ser encarada normalmente, as pessoas acabam tão tensas, que dificultam ainda mais a realização de seus objetivos. É como aquele casal que desejava desesperadamente ter filhos, mas não o conseguia; após a adoção de uma criança, eles relaxaram, baixaram o nível de tensão em torno da gravidez e, no ano seguinte, a mulher engravidou.

O amor é lindo entretanto, quando se inicia uma relação, demora algum tempo para que ele nos dê paz. Ele proporciona excitação, paixão, descobertas, milhões de coisas lindas, mas a paz só vem depois que superarmos os medos que o amor traz.

É preciso estar consciente dos nossos objetivos, mas saber que existe vida além deles. Senão, deixamos de vivê-la e acabamos nos afastando de nós mesmos.

Mistérios do coração começou a ser escrito há alguns anos, quando eu fazia a terapia de um casal que estava se separando. A comunicação entre eles estava péssima; percebi que nenhum dos dois sabia o que o outro estava vivendo e não se faziam as perguntas necessárias para acabar com suas dúvidas, especialmente porque o marido não se abria. Comentei, numa das sessões, que um dia escreveria a respeito do que se passa, naturalmente, na cabeça e no coração de um homem, numa situação dessas.

Este livro é exatamente isto: a abertura de um homem, ninguém em especial, que em um determinado momento parou de ter medo de si mesmo e das mulheres e resolveu mostrar o seu mundo interior. O personagem é uma síntese de vários homens que compartilharam suas experiências comigo. Portanto, se você se identificar com ele, não será uma simples coincidência...

Após séculos de relações em que a tônica era a negação de si e de seus sentimentos, em que as pessoas viviam lutando pelo poder, começa-se a ter consciência de que *o inferno não é o outro*. O inferno está dentro de cada um de nós, e somos nós mesmos que o criamos: *uma ilusão que nós levamos a sério*. Não é o outro que nos impede de amar, e sim nossos medos. Mas é através dele que encontraremos um novo espaço de descobertas e realizações.

Este é um momento de transição, em que os ideais que se possuía não satisfazem mais a quase ninguém, ainda que muitos continuem a aceitá-los, mais por medo à mudança do que por comodismo, mas não se encontraram novas verdades que tranqüilizem as pessoas.

Ótimo!

Isso vai levar todo mundo à procura, e essa busca certamente conduzirá à única verdade que existe e que está guardada dentro de cada um.

É lindo ver as pessoas errando e acertando, porém, mais do que nunca, procurando. Nunca se errou tanto; contudo, em compensação, nunca o ser humano foi tão verdadeiro em sua busca amorosa.

E o mais importante é que as pessoas estão percebendo que a sua verdade é única e somente serve para si. Verdades que têm de ser aprendidas, mas que não podem ser ensinadas. Aprende-se, à medida que se permite viver com a humildade de um aprendiz.

Os valores, as regras, não podem ser mais importantes do que as pessoas, porque se assim fosse, as relações se tornariam desumanas. O ser humano não nasceu para se enquadrar na teoria de nenhum pensador.

É como a história do besouro: ele não tem condições de voar, pelas leis da aerodinâmica... Entretanto, como não conhece essa ciência, ele simplesmente bate suas asas, joga o corpo para a frente... e voa!

O livro tem muitas colocações que mantêm a diferenciação homem/mulher, para ajudar a entender que, infelizmente, o estilo de escravidão de um homem pertence à maioria dos homens, e a maneira de prisioneira de uma mulher ainda é a que limita a vida da maioria delas. Todavia, é importante termos em mente que o encontro de duas pessoas é muito mais que o simples encontro de uma mulher com um homem: é o momento em que toda a existência é recriada. As separações de sexos, por si só, são limitadoras e frágeis.

O ser humano tem uma capacidade de luz infinita, mas quando vive seus problemas, simplesmente repete o que a maioria das pessoas faz. Aquelas coisas que aprendeu nos Clubes do Bolinha ou da Luluzinha.

Aliás, a neurose é justamente a perda da capacidade criativa; é não mais saber encontrar soluções novas para as situações que surgem, e principalmente para problemas antigos.

Que cada um descubra a sua meneira de ser, de viver e de amar.

Por isso, *Mistérios do Coração.*

O melhor mesmo seria: *Mistérios do seu coração...*

O seu coração vai funcionar e levá-lo para onde ele quiser, independentemente do que você acredite. Você pode reprimi-lo por um, dois, dez ou trinta anos; mas quando se distrair, ele o levará para lugares talvez nunca imaginados, para pessoas nunca valorizadas — às vezes, seu próprio marido ou mulher, depois de anos de vida comum, sem paixão —, para situações nunca cobiçadas.

Simplesmente porque esse é *o seu coração.*

E se você estiver alerta, você vai segui-lo...

Mistérios do Coração!

A verdade não pode ser encontrada como algo estático e sim somente vivida; até o momento em que você diga "sim" e decida dar esse mergulho, ela será simplesmente um talvez.

Que você o consiga!

Roberto T. Shinyashiki

MISTÉRIOS do CORAÇÃO

Há alguns dias, sua presença voltou a estar forte em minha vida, como se algo especial estivesse acontecendo em mim. Neste momento em que acabo de acordar, depois de ter sonhado com você, começo a entender o que o meu coração me pede: sinto que chegou o momento de me abrir para você...

Você foi tão importante em minha vida, que eu penso que não poderia deixar de dizer-lhe quão maravilhoso foi tê-la conhecido e ter percorrido os caminhos das descobertas do amor ao seu lado. Escrever para você é, na verdade, escrever para mim mesmo. Afinal, amar alguém é uma oportunidade especial de conhecer-se até mais do que conhecer ao outro. E escrever para você é uma alavanca que me impulsiona a uma reflexão, me ajuda a soltar os sentimentos e a dizer tudo o que existe dentro de mim com relação a você.

Escrevo tendo a certeza de que foi com você que aprendi o sentido da palavra amar e o que realmente significa viver com alguém. Eram tantas as coisas que eu julgava saber quando, na verdade, eu era um iniciante, ignorante e, ao mesmo tempo, pretensioso. Aliás, como a ignorância nos leva à presunção!

Hoje, sei o quanto amar ou odiar alguém é um ato individual, próprio de quem está amando ou odiando. Assim como a escolha da pessoa a quem vamos amar ou odiar é tão superficial e independente daquele ser humano em si mesmo. E essa escolha só se torna real e se mostra profunda à medida que o amor nos leva a enfrentar as nossas barreiras, a ver o outro como ele é; a ver o ser amado, não como um deus a ser louvado nem como alguém com uma coleção de defeitos, mas simplesmente como uma pessoa que está conosco e nos motiva a enfrentar nossos medos e hábitos de solidão; e a dar um mergulho para dentro de nós mesmos...

Agora percebo que tanto o amor quanto a raiva existem dentro das pessoas. Caso não estejamos atentos, corremos o risco de escolher alguém, quase ao acaso, para amar ou odiar — dependendo de qual seja a nossa predisposição naquele momento. Se estamos amorosos, vamos descobrir as qualidades amorosas do outro e amá-lo com ternura e paixão. Da mesma forma, se estamos raivosos, vamos procurar seus defeitos e jogar nossos ressentimentos sobre ele, sem nos preocuparmos realmente com o que ele possa estar sentindo.

Amar alguém não significa estar cego para os seus defeitos, e estar com raiva não representa o término do nosso amor por alguém. Se uma pessoa nos faz sofrer em um determinado momento, não significa que ela deixou de ser digna do nosso amor...

E você foi a pessoa que conseguiu ficar acima dos meus momentos de amor e de raiva, como alguém permanente. Alguém pronta para viver junto a mim e desvendar comigo os mistérios daquele instante em que o Sol se encontra com a Lua.

Só nos certificamos de ter feito a escolha certa quando optamos por alguém que nos faz sentir que vale a pena respirar, brincar, correr, viver, enfim; que torna poéticas as coisas simples, tais como ir juntos a um cinema ou comer um sanduíche no intervalo de almoço; que nos faz descobrir o que é amar alguém, percebendo que esse alguém também é um ser humano que sonha ser feliz, tão carente quanto nós mesmos e igualmente aprendiz na sua forma de amar.

Às vezes, criticamos as pessoas por elas se mostrarem incapazes de dizer que sentem saudades de nós, de uma forma carinhosa; nós nos irritamos, nos sentimos mal amados e não compreendemos que essa dificuldade delas é a mesma que nós temos. A nossa falta de paciência para entendê-las é responsável por nos torturarmos e assinalarmos nossos erros o tempo todo.

Tanto sofrimento inútil seria evitado se lembrássemos que somos aprendizes eternos da misteriosa arte de amar, e que a compreensão e a paciência são sublimes maneiras de dizer: "Eu te amo".

Afinal, amar é mais do que um sentimento! É uma forma de tratar o ser amado... O amor precisa ser acompanhado de atos condizentes, de palavras de carinho e de honestidade, de gestos de ternura e de um modo interessante de se ouvir as necessidades do outro. É triste quando se usa esse sentimento para dar a si próprio o direito de exigir mudanças no outro e para ficar pressionando-o a sentir-se inferior.

Amar é também saber falar ao outro sobre as coisas que não estão indo bem e ter a humildade de se mostrar ferido, quando sua conduta não agrada, no momento em que essas coisas estão acontecendo e antes que elas se transformem em sentimentos amargos. É saber valorizar tanto o outro, a ponto de não deixar enraizarem sentimentos que no futuro prejudicarão a relação.

Especialmente, amar é deixar de lado a mania de viver procurando teoria e explicações para justificar as coisas que não estão funcionando na relação e procurar encontrar as soluções para as dificuldades. É entender que, quando queremos fazer algo — bom ou ruim —, sempre acharemos justificativas para o nosso modo de agir. Amar é jamais optar por um determinado caminho, simplesmente porque temos medo de experimentar os outros.

Você despertou em mim a sensação de que meu coração batia forte. Fez-me sentir frio na barriga e calafrios na espinha, e me mostrou que viver com alguém intensamente é a melhor maneira de experimentar tudo o que tenho dentro de mim. E, sobretudo, você me permitiu ver o quanto era capaz de amar profundamente uma mulher. Com você, aprendi que amar é realizar o momento, é planejar a dois e querer cumprir, é lutar para superar a si próprio a cada momento!

Foi bom compreender que, tão importante quanto a nossa individualidade, é esse ser a que chamamos de nós — que é o resultado da maneira com que cada um cuida da relação a dois.

Mais do que tudo, o amor que estava dentro de mim — e que você, com sua beleza e força, soube despertar — motivou-me a rever e enfrentar alguns pensamentos que tinha sobre mim, sobre as mulheres e sobre o amor... E que, cá entre nós, não eram coisas muito positivas!

Nosso amor me transformou, de menino em homem, de alienado em consciente, de robotizado em ser vivente...

Sei que todas essas possibilidades já estavam dentro de mim! Mas foi com você que realmente vivi essa aventura em busca do meu ser amoroso. Você foi a pessoa que me motivou a transformar uma escolha, quase acidental, na decisão de mergulhar fundo nesse mar, às vezes plácido, às vezes turbulento, às vezes conhecido como as praias da nossa infância... Mas quase sempre misterioso e profundo... Esse mar fascinante, a que chamamos amar alguém.

Por isso, essas palavras são também um reconhecimento de tudo o que aprendi vivendo com você e, em especial, uma profunda homenagem à sua coragem de mostrar-me os caminhos do amor, à sua humildade ao assumir seus erros e à sua força de continuar seguindo seus caminhos, mesmo quando eles a levavam para longe de mim.

Agradeço muito à vida por nos termos encontrado e por termos decidido entrar nessa aventura maravilhosa a dois.

Esta é a história do amor que vivi com você, dos meus medos e da coragem que tive; dos meus pensamentos, dos sentimentos que, por pura insegurança, muitas vezes não compartilhei com você; das dúvidas e das certezas, das confusões e das soluções. Porém, principalmente, é um relato de coração aberto; é uma resposta ao seu desejo de um dia conhecer-me de verdade!

Lembro-me claramente do dia em que nos conhecemos, na faculdade de engenharia! Éramos dois jovens, recém-saídos da casa dos nossos pais, querendo recuperar ansiosamente o tempo perdido.

É incrível como as pessoas não sabem viver o presente! Vivem esperando começar a desfrutar a vida quando algo no futuro acontecer — quando entrar na faculdade, quando ganhar um carro —, ou lamentando que algo no passado não tenha sido diferente. Quando se dão conta do tempo perdido, experimentam, então, aquela sensação de vazio por não terem feito o que realmente queriam fazer.

Depois de jogarmos o tempo fora, saímos correndo atrás dele como loucos desesperados; e, geralmente, perdemos ainda mais tempo, pois nessa correria acabamos fazendo o que gostaríamos de ter feito tempos atrás; e deixamos de viver novamente o presente.

No primeiro momento em que vi você, me apaixonei. Não era uma paixão cega, como aquelas que se vêem em filmes! Mas era um desejo muito forte de que você fosse minha namorada.

Porém, mesmo nesses momentos de paixão, eu pensava em nosso relacionamento como algo provisório, acreditava que não era possível que pessoas tão diferentes entre si, como nós, conseguissem viver juntas por muito tempo! E, mais uma vez, existiu em mim uma sensação de ambivalência intensa; uma disputa entre meu coração e minha cabeça...

Meu coração não parava de sentir seu coração, sua pulsação! Eram incrivelmente lindos os momentos em que a surpreendia me olhando de forma distraída, ou percebia que havia sonhado com você durante toda a aula, e não tinha prestado atenção ao que o professor falara. Lembro-me dos sustos que levava, da minha alegria quando a encontrava de repente em uma festa!

Por outro lado, minha cabeça seguia medindo, avaliando, pensando nos prós e nos contras da relação. Gostava do seu jeito feminino, sensual, ativo; porém, ao mesmo tempo, ficava procurando defeitos que me desencorajassem de ficar com você.

Ufa! Que luta dentro de mim!!!

Estava apaixonado! Mas vivia confuso...

Hoje, eu sei que a confusão está presente quando se tem uma decisão tomada, mas não se tem a coragem de levá-la adiante!

Minha confusão provinha do medo de receber um "não" de você. Assim, todos os motivos que eu criava para dizer a mim mesmo que você não era perfeita, ou que não era o momento de me envolver com alguém, me davam um certo conforto, uma sensação ilusória de superioridade e domínio sobre a situação, e me ajudavam a não ter de me expor ao risco de escutar um "não". Por outro lado, temia ouvir um "sim" e começar uma relação na qual eu pensava que você iria ficar o tempo todo impedindo-me de fazer as coisas de que eu gostava, querendo mudar meu jeito e me transformar no homem que você gostaria que eu fosse.

Até parecia que eu era um menino indefeso!

Por isso, a cada vez que você começava um novo namoro, era para mim um alívio e um suplício. Os dois ao mesmo tempo! Alívio porque minha cabeça dizia: "Ainda bem! Agora vou poder esquecê-la e viver um amor com alguém realmente completo" — naquele tempo eu acreditava que existia alguém perfeito! Porém, o meu lado apaixonado sofria, sentindo-se tolo por não ter procurado você, por ter perdido a grande chance de conquistá-la, imaginando as possibilidades de você ser minha companheira, de podermos conversar até altas horas da noite e de trocarmos carinhos.

Veja só como minha presunção era total! Eu achava que no momento em que me declarasse, você cairia aos meus pés. Parecia até que eu não era tão tímido, que era um grande Don Juan irresistível!

Na verdade, quantas vezes me aproximei de você para convidá-la a ficarmos juntos, e o máximo que consegui foi falar sobre política, estudos, profissão e carreira?

Tempos depois, você me disse que eu gostava de esnobar, achava que eu a esnobava. O que me fez perceber que um tímido sempre se mostra como um esnobe... é engraçado isso, não? Algo que para a pessoa é, aparentemente, um sentimento de pequenez é transmitido aos outros como pura arrogância. Talvez porque, no fundo, o tímido seja um convencido. O orgulho dele é tão grande, que acaba imaginando que receber um "não" irá desmoronar sua imagem.

Finalmente, um dia consegui me aproximar de você e falar dos meus sentimentos. Como demorei até abrir meu coração, ser real, me aproximar e dizer simplesmente: "Estou amando você!"

Mas depois que comecei a falar, foi tudo muito simples! Foi só deixar sair aquelas tais palavras para que um mundo colorido, que eu mantinha oculto, aparecesse. De repente, sem dizer mais nada, tornei-me tão romântico quanto um poeta, tão cheio de recursos quanto um músico, tão comunicativo quanto um cantor...

Lembro que você não falou muito! E descobri que seu olhar já estava preparado para o meu há muito tempo, assim como seu coração e seu corpo estavam prontos para mim...

Quando começamos, então, a namorar, fiquei tão feliz e orgulhoso por estarmos juntos, que nada mais no mundo tinha importância. Éramos apenas você, eu e o nosso amor.

Eu me sentia como um passarinho que aprende a voar: o céu fica pequeno para tantas coisas que tem para descobrir, no mundo!

Apesar de eu já ter namorado algumas vezes, agora coisas pequenas — antes sem grande importância— tais como um telefonema seu, me deixavam incrivelmente excitado; quando ouvia a sua voz, ficava em um estado de felicidade inacreditável! Comer um sanduíche simples que você tinha preparado, dava mais prazer do que um jantar especial em um restaurante sofisticado. Comecei a aprender que ter você ao meu lado era o mais importante.

Na verdade, descobri que você era alguém que me despertava emoções e sensações que já existiam em mim, mas que eu jamais conseguira perceber... Emoções e sensações que já experimentara antes, não por ter vivido uma situação romântica, porém, pelo fato de ouvir uma música, ou por identificar-me com um personagem de um filme ou de um livro.

Com você era diferente, porque você era real e estava ali, vivendo aquele instante comigo! Eu estava descobrindo meu coração e aprendendo que aquelas coisas sobre as quais lera muitas vezes existiam também para mim. Coisas como saudades, vontade de fazer surpresas para a mulher amada, vontade de não parar de pensar um só minuto em você!

Com você eu descobri o amor!

Lembro-me de que outras namoradas minhas reclamavam por eu não dizer que as amava. Dizia que gostava delas e o quanto as achava atraentes; mas me sentia preso e, mesmo que quisesse dizer que as amava, as palavras não saíam, sentia-me falso, e chegava até a pensar que tinha vergonha de sentir amor por alguém... A realidade é que ainda não tinha vivido um amor intenso com alguém. E com você isso aconteceu...

Nunca vou esquecer o dia em que disse a você que a amava... Não houve nenhuma situação especial; nós apenas estávamos andando de mãos dadas pela rua, à noite, e, de repente, as palavras saíram de dentro de mim! Não foi algo que decidi fazer; simplesmente saíram! E me sinto feliz por você ter sido a primeira mulher a quem declarei o meu amor! Isso me dá uma sensação de que o fiz, não simplesmente por fazer, mas com a pessoa certa e no momento certo.

As pessoas sempre se perguntam como fazer para passar da paixão para o amor... Acho que isso não é tão importante! Às vezes, me parece até que a paixão é considerada como algo menor, algo passageiro, um estado de estupidez. Pois acho que a paixão é o estado de maior sabedoria e de saúde do ser humano. Quando se está apaixonado, não se perde tempo com bobagens, que nos tomam energia e nos tiram a paz sem razão alguma.

Ainda me lembro de que, naquela época, quando estava apaixonado por você, minhas preocupações tolas simplesmente desapareciam... Antes, eu estudava dias a fio para uma prova; depois, com você, bastava estudar uma ou duas horas. A vontade de estar ao seu lado era tanta, que eu aprendia tudo rapidamente. E minhas notas na faculdade estavam sempre altas. Ao falar com um professor, já não ficava preocupado com o que ele pensava a meu respeito. Nós conversávamos objetivamente, sem inseguranças; eu aprendia o que era necessário, no mínimo tempo possível.

As pessoas sempre vivem querendo juntar dinheiro para alguma coisa; eu queria era juntar tempo para poder ficar o máximo possível com você...

Quando nós começamos a namorar, passei a fazer rapidamente minhas tarefas e a não gastar tempo inutilmente em confusões ou indecisões. O que eu sabia, tinha claro; o que não sabia, perguntava a alguém. E passei a cumprir minhas tarefas usando os horários de expediente. As noites eram para estudar, o mais rapidamente possível, e ficar com você, o mais vagarosamente possível!

Com você, comecei a aprender a desligar meu relógio de pulso, e seguir o do meu coração! Antes eu cronometrava o tempo que demorava para ir com alguém para a cama, ou para sair da relação. Eu media o tempo gasto em cada contato meu com alguém (é triste constatar como a superficialidade nos deixa vazios!). Com você, as coisas não necessitavam de pressa! Ficávamos conversando durante horas, sonhando por séculos, e quando a gente transava, o terminar não era nosso objetivo. O que nós mais queríamos era ficar juntos.

Parece que a paixão nos deixa imunes aos nossos condicionamentos! Quando se está apaixonado, os olhares críticos perdem a força, e o mau humor dos outros se torna engraçado. Você se lembra de como ríamos dos mal-humorados?

Eu, que sempre fui muito preocupado com o que os outros iriam pensar de mim, de repente, passei a me desligar dos comentários alheios. Ficou muito claro para mim que viver de acordo com as expectativas dos outros é suicídio. Porque parece até que as pessoas acreditam que é inevitável uma relação amorosa esfriar e ficar banal — quantas pessoas, ao nos ver apaixonados, imediatamente nos criticaram? Algumas diziam que estávamos bem apenas porque a nossa relação estava começando. Outras falavam que iria acabar. E se acabasse elas iriam, com certeza, criticar-nos por sermos incompetentes para manter um relacionamento.

O meu amor por você me fez forte! Eu, que sempre tinha sido inseguro, de repente já não via mais ameaças me atingindo. O fato de estar me formando em breve já não me assustava. Era algo para ser comemorado! Ter a minha carreira, ganhar o meu dinheiro e passar a ser um profissional de verdade agora eram coisas naturais para mim.

Estar com você ajudou-me — e muito — a acabar com as dúvidas sobre a minha capacidade. Eu me sentia capaz, sabia o que queria, e ponto final! Sabia que iria batalhar até conseguir tudo o que eu desejasse... Apaixonado por você, como estava, eu não tinha mais tempo para gastar com bobagens!

Em época de paixão não existem as palavras" impossível", "é difícil", "pode ser"... O que existe é: "Vou lutar até conseguir!". Como que por encanto, criamos soluções e descobrimos a nossa força, mesmo nos momentos mais desafiadores.

Às vezes, eu lhe perguntava se você me achava um tolo, pelo fato de ficar procurando você o tempo todo e não parar de dizer "Eu te amo!" Era lindo ver o seu olhar, o seu sorriso e ouvir você me dizendo: "Bobagem é você não perceber que só um homem de verdade é capaz de fazer essas coisas!" E assim, fui aprendendo que um homem pode ser valorizado por estar apaixonado e por deixar o seu amor aparecer e ser notado.

Era lindo senti-la perto de mim, apaixonada, cuidando dos detalhes do nosso amor. Nossa sintonia era divina! E a cada encontro, mais eu me surpreendia com você... Seu carinho ajudou a sentir-me um homem digno de ser amado! Com você, parei de ter vergonha de fazer aquelas *loucuras de amor*; e elas passaram a ser *atos de sensatez amorosa*, porque percebi o quanto é sadio para a relação quando deixamos de lado a sisudez e nos tornamos criativos, para mostrar tudo de belo que está dentro de nós.

Lembro-me ainda do dia em que coloquei um bilhete em seu sanduíche... Quando você deu aquela mordida, sentiu algo estranho, foi ver o que era, descobriu o papel e me olhou como quem diz: "Seu louco!" De repente, eu viajava mais de duzentos quilômetros para visitá-la na praia, ficar uma hora e voltar de novo pelos mesmos duzentos quilômetros...

Com você, *as loucuras estúpidas* pararam. Aquela coisa de bagunçar em excesso, ou dirigir embriagado, de repente, perdeu a graça! O que realmente importava era estarmos juntos, mesmo quando você não estava fisicamente ao meu lado. Era curtir a poesia de tê-la comigo; lembrar de você e não precisar de aditivos para sentir minhas emoções!

Às vezes, eu me pegava com a sensação de ser uma outra pessoa, tão diferente era o meu novo jeito de sentir e atuar. Já não me identificava com a minha imagem antiga! Era incrível não saber o que iria fazer no próximo momento; era estranho eu não saber qual seria a minha reação no instante seguinte...

As pessoas diziam, que com você, eu tinha mudado, e era verdade. Eu tinha mudado! Não para algo novo, mas para algo que havia dentro de mim e que ao seu lado eu encontrei um jeito de libertar.

Eram tantas as transformações e tão grandes as mudanças, que não havia tempo para nos acostumarmos a elas. E acabamos nos assustando com a nossa obra, tal qual um bebê se assusta com o seu primeiro grito — um som tão alto, que lhe parece impossível que tenha sido ele mesmo que o produziu —, pensando que alguém está gritando com ele!

E nós nos assustamos com o nosso grito de amor! Ele era tão incrivelmente belo, poderoso e claro que julgamos ser impossível que houvesse partido de nós... Faltou-nos a consciência de que a capacidade de produzi-lo tão belo estava dentro de nós. E que nós o tínhamos emitido...

Não havíamos pensado em coisa alguma!

Somente nos entregamos, deixamos que o amor nos levasse e o seguimos, como a um guia em meio a uma floresta.

Porém, a partir do momento em que nos demos conta do tamanho do nosso amor, começamos a sentir medo. Medo de sermos abandonados subitamente. Afinal, alguém tão especial certamente se envolveria com alguém mais interessante... Criamos uma imagem da nossa relação em que o responsável pela sua harmonia era exclusivamente o outro, e não nós dois juntos. Faltou-nos a maturidade para tomar consciência do quanto cada um de nós era capaz, em termos de amor.

Ficou em mim uma sensação de que tudo o que eu estava vivendo dependia exclusivamente do que você pensasse ou sentisse a meu respeito; e, sem me dar conta, ao meu amor juntei o medo e, sutilmente, comecei a substituir espontaneamente por estratégia.

Eu nunca havia me sentido tão feliz! E comecei a pensar que, para manter essa felicidade, tinha de viver para você; tinha de adivinhar o que você queria, para não a deixar sentir-se insatisfeita ou desapontada comigo.

Era delicioso ver o quanto você estava bem ao meu lado, mas não imaginei que você pudesse estar assim simplesmente por estar comigo... Sempre acreditei que a fazia feliz por estar fazendo coisas que a agradavam. E, então, passei a viver procurando adivinhar o que a tornava feliz, sem prestar atenção ao que eu realmente queria fazer. Nessa época, eu parecia mais um fã seu do que um homem apaixonado.

Enfim, apesar de parecer egoísta, e reconheço que muitas vezes realmente o fui, o começo da minha insatisfação com a nossa relação foi a vontade de descobrir o que fazer para deixá-la sempre feliz. E somei a isso o fato de ser inseguro o suficiente para fazer coisas que não tinha vontade, puramente para atingir esse objetivo.

Hoje, sei o quanto é manipulador e onipotente querer fazer tudo pelo outro; querer poupá-lo de sentir a mínima frustração. E como é pesada a sensação de devedor que acaba sendo colocada nos ombros do outro.

Na realidade, o que eu pretendia era fazer com que você me julgasse o único homem capaz de fazê-la feliz; o único capaz de proporcionar-lhe uma sucessão de festas com queimas de fogos de artifício. E fazê-la acreditar que, sem mim, sua vida seria um tédio absoluto, ou o palco dos dramas e de todas as frustrações possíveis na vida.

Deixei de viver a minha vida e você deixou de viver a sua!... Quantas coisas eu vi você fazendo, sem vontade, somente para me agradar? E quantas eu fiz só para vê-la sorrir? E você nem sempre sorriu, ou seu sorriso não foi aquele que eu esperava!

Lentamente, *nossos atos de atenção* foram sendo substituídos por *retratos de nossos medos*... O medo de perder o ser amado e o medo de ficar sozinho novamente! Socialmente, esses comportamentos até que se parecem muito; mas internamente eles são tão diferentes! Os primeiros vêm do transbordamento do nosso coração, de nossa beleza interior, enquanto os outros espelham a nossa miséria afetiva — surgem de exigências, nem sempre explícitas, que acabam por se transformar em eternas reclamações.

Nunca vou esquecer o episódio da pizza de atum! Quantas vezes pedimos pizza de atum, lembra? E ela sempre sobrava... Até que um dia você me perguntou se eu não gostava mais de pizza de atum... "Você sempre a deixa no prato!", disse! E respondi que sempre a pedia porque achava que você gostasse! E tive a surpresa de saber que você também não gostava de pizza de atum... Então, um pedia a pizza por causa do outro, e nenhum dos dois gostava dela.

Quantas concessões nós fizemos, que nos levaram a acreditar que o outro tinha dívidas conosco? Coisinhas pequenas, que não teriam nos magoado, caso tivéssemos conversado a respeito delas desde o começo. E que teriam dado a cada um de nós a chance de saber melhor quem era o outro e de evitar cobranças desnecessárias.

Aliás, por que as pessoas não fazem o que sabem ser melhor numa relação? Muitas sabem que determinada atitude vai levar a um mal-estar. E, no entanto, agem como se nunca tivessem vivido algo parecido antes. Creio que muito da razão disso é a sensação que carregam de que quem as ama lhes faz um imenso favor. Começam, então, a querer adivinhar o que o outro deseja, a querer agradá-lo para que fique por perto. E se esquecem de seus próprios desejos, de suas próprias idéias, de seus objetivos verdadeiros...

O fato de não querermos estar ao lado da pessoa que amamos durante todo o tempo acaba parecendo que amamos menos a essa pessoa. Quando, numa realidade simples, ninguém é capaz de preencher todas as necessidades de outra pessoa. *É natural que eu precise de um amigo para falar de futebol!* E, por mais que você me ame, futebol pode não fazer parte de sua vida!

Em uma linguagem clara, muitas das concessões que as pessoas fazem têm como objetivo *conseguir poder sobre o outro*. Aquele tipo de poder que lhes dá o direito de dizer, num momento em que as coisas não estejam indo bem: "Eu nunca tive necessidade disso; enquanto você...". Parece até que quanto menos desejos individuais nós tivermos, mais detentores de direitos nós seremos.

Na tentativa de controlar um ao outro, perdemos alguns dos nossos valores! Não passou pela minha cabeça que você poderia continuar a me amar e que nós poderíamos continuar juntos, mesmo que falasse o que eu realmente queria naquele momento, ou o que eu estava sentindo. Não eram coisas complicadas, nem ameaçadoras! Às vezes, era simplesmente não sair com você, para ficar em casa sozinho, lendo um livro, ou ouvindo um disco. Outras vezes, sair com um amigo para conversar... Da mesma forma, sei que você também omitiu suas necessidades individuais!

Coisas simples que, por não serem tratadas adequadamente, acabaram por atrapalhar a nossa relação!

Na verdade, faltou conversarmos sobre tudo o que estávamos vivendo e sentindo. Reconheço, porém, que tínhamos tanta coisa boa para fazer, que tocar em determinados assuntos parecia algo aborrecido e sem importância. Para mim, especialmente, faltou muita conversa sobre minhas fragilidades. Eu tinha vergonha de dizer para você: "Olhe, quando você faz isso, eu me sinto muito inseguro", ou: "Estou perdido nesta situação! Por favor, me ajude".

Aqueles momentos eram difíceis, pois eu sofria duas vezes. A primeira, porque me sentia vulnerável, inadequado, em mostrar uma dificuldade minha. E a segunda, porque, como eu sentia muita vergonha desses sentimentos, sempre procurava escondê-los.

E a minha reação em situações desse tipo era exatamente aquela com a qual eu estava acostumado: ficava agressivo, criticava e culpava você pelo que eu estava passando. Começava, então, uma daquelas nossas brigas infernais, ou me afastava de você e fazia aquela cara de indiferente, de distante, aquele jeito de "Se a coisa continuar assim, vou embora de uma vez!", pois sabia que isso a assustava e levava você a fazer o que eu queria. Ou então agia como um menininho carente, com medo de ser abandonado pela mamãe.

Eu ficava confuso e não conseguia pensar em outra coisa a não ser obrigar você a cuidar de mim... Não passava pela minha cabeça dizer-lhe o que me ameaçava, o que me assustava, pedir sua ajuda, reconhecer sua capacidade de me ajudar e assumir o que era possível fazer naquela situação para me sentir melhor. Sempre tentei mostrar a você que não tinha problemas ou dificuldades. O que importava para mim era dar-lhe a impressão de ser um super-homem, acima de todas as fraquezas humanas. E quando não agüentava mais manter-me nesse papel, eu estourava e acabava mesmo por sentir-me novamente insignificante.

Em situações de ciúme, principalmente, era exatamente assim que eu agia. Ou fazia um escândalo, ou me isolava, ameaçando ir embora ou exigindo proteção, no intuito de fazer você se sentir culpada e não me abandonar.

Para mim, era difícil reconhecer que era inevitável uma mulher tão especial como você atrair outros homens. Não porque você procurasse seduzir alguém, mas porque essa atração é uma coisa natural. Eu queria que todo mundo admirasse a mulher que eu tinha, porém queria os homens longe dela. Sei o quanto isso é maluco! Mas quem pode dizer que o ciúme é lógico?

Entretanto, o pior de tudo é que, ao invés de lhe falar sobre meu ciúme, eu ficava pensando: "Ora, isso é bobagem! Daqui a pouco vai passar"... E meus pensamentos então passeavam, desde "Vamos ver se ela dá bola para alguém!", até "Ela só não aceita os convites porque estou por perto...". Ao mesmo tempo, procurava dizer para mim mesmo que, se você se apaixonasse por outro homem, não seria tão ruim. Contudo, chegava um momento em que eu perdia o controle e estourava de ciúme; então, brigar acabava sendo inevitável. E lá ia eu, de novo, sentindo-me uma criança e exigindo a sua proteção.

É estranho como o ciúme dá autorização às pessoas para agirem loucamente. Parece que, quando atacadas por ciúme, dão-se o direito de fazer coisas que, em outras situações, não fariam. E, em geral, o ciumento é muito preguiçoso, pois ao invés de mudar, de se tornar uma pessoa mais atraente e lutar pela pessoa amada, normalmente prefere proibir o outro de fazer coisas que o ameacem. É muito mais fácil proibir e se dizer ameaçado, dando uma desculpa cômoda, do que fazer o que é preciso para manter a chama da paixão acesa!

O mais difícil em uma situação de ciúme é sair dela sem passar pela indiferença e pelo distanciamento. Mas quando conseguimos lidar de uma forma sadia com esse sentimento, é bonito ver como ele se desfaz e dá lugar a uma experiência de amor e admiração pelo ser amado. Existe um lado natural no ciúme, que é o desejo de manter o ser amado por perto, porque se sabe que ele é uma pessoa especial; então o ciúme se torna um lembrete para se cuidar bem da relação e do outro.

Nós ficávamos tanto tempo juntos, que foi inevitável a idéia de casamento aparecer logo. Dormir um na casa do outro e ter de sair de manhã, mais cedo, para ir trocar de roupa em casa é o tipo de coisa que acaba incomodando muito, depois de pouco tempo.

Chegou o momento em que desejávamos algo mais em nosso amor. Eu tinha a certeza de que era com você que eu queria viver a minha vida, e estar com você era um delicioso convite que me fascinava mais do que tudo!

É insensato quando as pessoas pensam em casamento como uma forma de resolver seus problemas. Quando duas pessoas estão brigando muito, elas podem achar que casar irá diminuir essas brigas; e o que se vê é exatamente o contrário: as brigas aumentam ainda mais — é mais fácil se resolverem as dificuldades quando se tem um tempo para pensar, sozinho, sobre elas. O casamento coloca um microscópio nas divergências, ampliando-as de forma que se possam ver as dificuldades com uma riqueza bem maior de detalhes.

Acho que o único motivo que deveria levar as pessoas a se casar é o desejo de compartilhar a vida. As outras razões me parecem fúteis, e geralmente acabam esvaziando a relação. Casar porque está insuportável viver com os pais, ou porque assim se economiza o dinheiro gasto com duas casas, é geralmente pedir para se separar logo depois.

O casamento é mais um dos desafios que, quando chega o momento, o casal percebe que tem de enfrentar.

Quando digo que casar é importante, não me refiro especificamente ao casamento em igreja, com uma recepção para mil convidados; mas sim ao ritual de os dois assumirem o compromisso, junto às pessoas que amam, de compartilhar a sua opção de vida a dois.

Tenho a impressão de que até um tempo atrás tudo se resumia, basicamente, a rituais. As pessoas deveriam agir de determinada maneira , porque assim era o certo. O que menos importava eram os sentimentos das pessoas envolvidas. De um tempo para cá, porém, as pessoas começaram a valorizar somente o momento e jogaram os rituais para o alto. Agora é hora de se perceber que alguns rituais não representam o fim em si mesmos, que eles não são importantes porque existem, e sim porque simbolizam uma iniciação. Por exemplo, o ritual de casamento não é importante em si, mas porque essa cerimônia marca um compromisso que se assumiu, um caminho que se escolheu: o de crescer junto à pessoa amada.

As pessoas não deveriam necessitar de coisa alguma que as lembrasse de que são casadas, a não ser o seu coração batendo mais forte pelo companheiro. Mas, como muitas pessoas esquecem que são casadas, o ritual é um começo para se lembrarem de que têm um compromisso com alguém; não o compromisso de continuar casado até o final da vida, porém, o de valorizar o fato de estar vivendo com essa pessoa e procurar a melhor forma de viverem juntos. Quando as pessoas vêem o ritual de casamento como um fim em si mesmo, penso que é o começo de suas frustrações, porque a partir daí julgam que o outro deve cumprir os seus deveres conjugais e esquecem que cada um é responsável pelo fascínio da sedução. E, em geral, são essas as pessoas que vão pensar, alienadamente: "O meu casamento vai ser diferente!", sem se dar conta de que todo mundo pensa a mesma coisa. No final, essas relações se tornam muito parecidas: uma situação em que as pessoas se sentem prisioneiras ou desvalorizadas.

Muita gente decide deixar para os pais a preparação da festa, "já que isso é mais importante para eles do que para nós!"; e, no final, acaba se sentindo um estranho no próprio casamento.

Foi muito lindo o nosso casamento. Conversamos sobre como queríamos a cerimônia, as músicas, o padre... Foi como se escolhêssemos as pessoas que estariam na sala de parto no momento em que nascemos, quem iria nos receber e de que maneira iríamos ser quando nascêssemos como casal.

Apesar da pressão dos nossos pais para que casássemos do jeito que eles queriam — e de alguns poucos amigos, para que não casássemos do jeito que não queriam —, foi bom que pudéssemos escolher o jeito com que iríamos assumir o nosso compromisso, um com o outro, e como iríamos compartilhar a nossa vida.

Embora eu respeite a opinião das pessoas que decidem não casar, mas simplesmente viver juntas, penso que isso dá um clima de fragilidade à relação; aquela sensação de que se pode desistir antes de haver procurado esgotar todos os recursos para descobrir o melhor jeito de se estar juntos.

Quando voltamos de nossa lua-de-mel, vivíamos uma felicidade sem fim e não nos demos conta de que esse clima de paixão necessitava de tempo e atenção para sobreviver. Aos poucos, caímos no erro de pensar que nosso amor era tão grande que poderia esperar, e saímos para cuidar de nossas ambições profissionais e materiais.

Enquanto tínhamos desafios na nossa vida profissional e material, nós nos tornamos companheiros e cúmplices! O inimigo do outro se transformava em inimigo comum, nós tínhamos raiva juntos do chefe do outro que era castrador, do colega de trabalho que era competitivo e de tantas outras pessoas que atrapalhavam os nosso objetivos. Era como se fôssemos os dois contra o mundo, um oásis no meio do deserto da competição do mundo exterior.

Cada vez apareciam mais vitórias, novas metas e maiores dificuldades, porque as conquistas profissionais geralmente são acompanhadas, na mesma proporção, de tensão e preocupação.

O fato de nos amarmos tanto levou-nos a não perceber que estávamos criando uma armadilha cruel: a de procurar estar sempre compreendendo o outro, estimulando-o, mas nunca solicitando a sua atenção; mantendo sempre a esperança de que algum dia, mais tarde, retomaríamos toda a paixão que havíamos deixado de viver.

Parece que nossa vida se reduziu a meses e anos seguidos de tensão, como se estivéssemos sempre nos preparando para prestar um concurso e esperando pelo seu resultado, ou trabalhando e economizando desesperadamente para pagar uma dívida. Nossas necessidades foram sendo adiadas, cada um dizendo para si mesmo que aquele não era o momento para resolvê-las, porque o outro estava tenso ou sobrecarregado.

O que no início era uma atitude de proteção e carinho, depois de algum tempo mostrou-se um caminho para a solidão a dois; um monte de desculpas, para não termos de encarar a nossa inabilidade no amor.

Sempre tínhamos uma palavra de apoio, um conselho amigo, ou um champanhe para comemorar as vitórias um do outro. Porém, não vimos que essas vitórias lindas escondiam pequenas frustrações no nosso amor, que aos poucos foram se transformando em um sentimento de que o outro não nos valorizava.

As nossas questões amorosas acabaram não sendo valorizadas e, por isso, não conversávamos sobre elas abertamente.

Agíamos como o espermatozóide — que vive essa competição para atingir o óvulo —, sem perceber que todas as conquistas eram compatíveis com a nossa maior vitória, a que realmente mais nos interessava: o nosso amor.

Quando atingimos todos os objetivos externos, percebemos que eles são apenas acessórios, e não o que realmente importa. Mas raramente fazemos o que precisa ser feito, antes que o objetivo maior se perca.

O fato de dispender muita energia no trabalho fazia com que eu me sentisse mal, com que eu quisesse ter um espaço para mim. Acabava apenas reservando um tempo para descansar e o restante dedicava a você. Parecia que, para cuidar de mim, eu teria de tirar esse tempo de você!

Hoje, sei que poderia tirar esse espaço do trabalho e da série de jornais que eu lia. Realmente, ter a postura de procurar estar feliz comigo e com minha vida, antes de sair caçando objetivos para realizar.

E além do mais, eu queria mostrar-lhe que precisava somente de você, o que às vezes era uma verdade.

Mas era também uma forma de não me arriscar a perdê-la; de não lhe dar a possibilidade de encontrar outro homem. Então, muitas vezes, eu deixava de ficar só para não lhe dar a oportunidade de também ficar só. E, devido à minha insegurança, criei um jeito de viver em que eu tinha a sensação de estar preso o tempo todo; a sensação de estar deixando a vida escapar de minhas mãos.

Falando assim, pode parecer que, de um momento para outro, tudo ficou ruim entre nós. E passar essa imagem é extremamente injusto, diante de toda a beleza que existiu. Na verdade, os desencontros foram acontecendo de modo tão lento, que dificilmente eu poderia avaliar o quanto eles seriam prejudiciais. Talvez, se de um momento para outro, as coisas tivessem ficado totalmente ruins, nós tivéssemos tomado um susto, parado para reavaliar o que estava acontecendo e mudado muitas coisas... Mas o processo foi lento e tudo sempre continuou tão sensacional que, quando cada uma dessas pequenas coisas ruins acontecia, eu pensava que seria mesquinho demais preocupar-me com fatos tão insignificantes... Eu acreditava que o nosso amor era tão grande que eliminaria essas coisas todas por sua própria força.

Realmente, quando parávamos uma conversa desgastante no meio da madrugada, nos vestíamos e saíamos para tomar um café, ficava difícil imaginar que essas coisinhas ruins pudessem ter alguma importância; naquele momento, ao sairmos, parecia que tudo se resolveria!

Voltávamos ao romantismo com muito mais força, mais paixão; andávamos de mãos dadas, tomávamos algo e ficávamos conversando sobre nosso amor e nossos planos até o dia clarear, sem nos importarmos de ter de ir trabalhar às oito da manhã, sem ter dormido... Não dava para imaginar o quanto as pequenas coisas mal resolvidas poderiam ser danosas à nossa relação!

Se hoje me detenho nesses detalhes que nos fizeram sofrer, é porque somente agora percebo o quanto eles nos afastaram um do outro; o quanto eles tornaram real a existência de dois mundos dentro de mim: um em que eu vivia toda a beleza da relação, e outro em que predominavam meus desejos adiados ou sufocados...

Agora vejo que, apesar de se falar tanto em ecologia, as pessoas não se preocupam com a ecologia humana, em manter limpo o seu coração e as relações com pessoas queridas. Falamos em limpar os rios, o ar e tantas outras coisas importantes, mas não cuidamos de manter limpos os nossos sentimentos e muito menos as nossas relações. Diz-se que a maturidade de um homem é medida pelo tempo que ele demora para resolver um mal-estar com alguém. Quanto mais evoluído ele for, mais facilmente saberá procurar alguém para pedir desculpas por algum erro, dizer que está se sentindo mal por algo que o outro fez e, sobretudo, declarar o seu amor ou dizer que sente saudades.

Esse foi o começo da minha divisão. Ao seu lado, eu começava a sentir-me um ser frustrado, precisando viver minhas fantasias, viajar, conhecer o mundo; enfim, fazer tantas coisas que eu tinha a sensação de não serem possíveis junto a você. Sozinho, vinha-me uma profunda sensação de estar incompleto; eu sentia o quanto você me fazia falta.

Foi puramente a falta de coragem que me impediu de expressar-lhe meus sentimentos, meus desejos e meus planos. Eu queria mostrar-me alguém certinho, o que eu não era e que jamais conseguira ser. Faltou-me a força para arriscar-me a mostrar-lhe como eu era na realidade. E, no final das contas, o saldo foi a imagem de duas pessoas diferentes habitando um só ser.

Quem eu era realmente? Aquele menino bonzinho que chegava em casa morto de medo da mulher? Ou aquele outro, que estava sempre inventando coisas para fazer fora de casa? Com certeza, os dois e muitos outros personagens.

As pessoas são uma série de personagens dentro de si mesmas. Como a cartola de um mágico, da qual a cada momento aparece algo diferente. As surpresas nunca acabam. Quando pensamos que conhecemos alguém, de repente surge uma faceta nova, e concluímos que não o conhecemos, na realidade.

Percebo que gastamos muita energia querendo definir quem somos ou quem os outros são, como se fôssemos sempre a mesma pessoa e não estivéssemos em constante mudança e nos revelando a cada dia.

Minha indefinição deixava você confusa. Mas essa ambivalência também me fez sofrer muito. A sensação de querer desesperadamente algo em um momento e, logo a seguir, aquilo já não ter o menor significado, me deixava muito inseguro. Eu ficava perdido com essas mudanças constantes.

Meus desejos eram reais, não eram fingimentos! Eles apenas mudavam rapidamente... E aconteciam sem que eu tivesse qualquer controle sobre eles.

É impressionante como o ser humano não consegue ter paz, por ignorar ou não aceitar o fato de que sempre estará faltando algo em sua vida e por não procurar descobrir uma forma de realizar seus desejos, sem desespero. Teria sido muito mais fácil se, por exemplo, naquela época eu tivesse convidado você para participar comigo da satisfação desses desejos. Talvez você aceitasse o meu convite e eu não precisaria carregar comigo a sensação de frustração de não ter a liberdade de realizá-los. Mas a dura verdade é que, quando nós queremos nos sentir infelizes, nossos desejos vêm acompanhados da sensação de impossibilidade de realizá-los.

A minha surpresa foi verdadeiramente grande quando você me disse que todas essas coisas se passavam também com você; eu não imaginava o quanto nós não acreditávamos que o outro pudesse nos compreender ou nos ajudar em nossas necessidades, apesar de nos amarmos.

Que susto ao ver o quanto nós nos parecíamos! De repente, me vi surpreso ao perceber que minha mulher tinha tantos desejos quanto eu! De repente, me dei conta de que tinha dentro de mim o preconceito de que desejo de mulher é, no máximo, trabalhar fora, e que suas frustrações são somente as de não ter seu homem do jeito que ela quer...

Às vezes, eu ficava perdido, porque você se colocava toda liberal, autônoma, independente e dona da sua vida, mas quando eu fazia uma colocação simples, você desmontava exatamente como as mulheres da geração da minha mãe faziam. Eu ficava pensando se as mudanças que você se propunha eram para valer...

Sei que você era sincera em seus propósitos. Admirava que você trabalhasse fora, tivesse seu próprio dinheiro. Eu curtia dividir as tarefas domésticas com você; mas, de repente, me pegava desapontado, porque você não estava esperando por mim em casa, como minha mãe sempre fazia com meu pai. E o pior é que, nesses momentos, eu pensava que esse era um dever seu.

Aos poucos, fomos tendo desejos pessoais que não compartilhávamos e sentimentos que escondíamos um do outro. Isso foi especialmente ruim, porque quando começamos a nos abrir foi um choque muito forte para ambos.

É muito triste ver que não fomos honestos um com o outro. Honestos, não no sentido de caráter; mas honestos no sentido de sermos verdadeiros, de abrirmos o coração.

Se tivéssemos conversado desde o princípio sobre tudo o que estávamos deixando passar em nossa relação — ainda que isso pudesse frustrar-nos um pouco —, sem dúvida alguma teria ficado mais fácil nos conhecermos de verdade. E teríamos evitado aquela sensação tão amarga que ficou, ao descobrirmos que um não sabia quem o outro era, quando desvendamos nossos corações e nos mostramos verdadeiros...

E, mais do que nunca, nesse momento tive um choque ao deparar-me com o meu machismo. Aliás, o machismo não se caracteriza só pelo menosprezo às mulheres; é também um desrespeito do homem por si próprio, na medida em que ele o obriga a derrotar todos os outros homens; e, nesse processo, acaba desprezando a si mesmo e a suas próprias necessidades.

Agora, é duro ver como esses valores estão arraigados dentro mim. Sei o quanto são fúteis; tenho consciência de como minha vida seria mais fácil sem eles. Mas, de repente, quanto eu me dou conta, estou vivendo-os novamente.

A dificuldade de deixar de lado velhos sentimentos de insegurança e desejo de dominação torna especialmente trabalhoso o fato de as relações florescerem. Nesta época, homens e mulheres sabem do vazio de muitos valores e hábitos que lhes foram passados, mas não conseguem se livrar deles. E para piorar, as mulheres vivem hoje no machismo: querem um homem feminino à mesa e um machão na cama!

Queremos o novo, porém, não conseguimos abandonar o velho. Cobramos de nós e dos outros a ousadia de dar o salto, mas exigimos coerência com a imagem do passado. Ficamos, então, procurando o equilíbrio, como alguém na corda bamba que, quando vai cair para a esquerda, joga o corpo para a direita e vice-versa. Não conseguimos ainda caminhar com nossos pés, ou seja, com nossos próprios valores.

Queremos ser coerentes com o que fomos no passado esquecendo que, se nós não tivermos a humildade de assumir nossas incoerências, vamos acabar tendo somente a coerência dos papéis insatisfatórios que homens e mulheres têm vivido por séculos...

Se fosse para começar tudo de novo, hoje, a primeira coisa que eu faria de forma diferente seria descobrir um jeito de nos sentirmos juntos; não importa se estivéssemos fazendo a mesma coisa, ou coisas diferentes. Porque estar juntos significa estar em sintonia, independentemente do lugar em que estão nossos corpos. Percebo que as pessoas podem estar sozinhas, mesmo em momentos que seriam de grande intimidade, e podem se sentir juntas mesmo estando longe.

Eu não faria somente o que tivesse vontade de fazer, porque tenho consciência de que isso só aumentaria a minha tendência à solidão. Fazer somente o que se quer é muito autêntico, verdadeiro e necessário em uma época de nossa vida, porque é o caminho mais simples para se atingir a liberdade e a autonomia. Mas depois percebemos que também é preciso ter a liberdade de estar com alguém. Porque o conceito de liberdade está ligado à possibilidade de optar, não simplesmente, de fazer o que sempre se fez, e não representa uma ameaça.

O que eu gostaria de viver é essa liberdade de poder ficar em casa lendo um livro, sozinho, sem que para isso eu precisasse agredi-la, ou me separar de você... Gostaria de não me sentir ameaçado, simplesmente porque você saiu com um amigo para conversar! Eu adoraria não ter de tirar você do meu coração quando fosse fazer algo só meu; nem precisar sair do seu coração quando você quisesse fazer algo só seu...

Quantas vezes nós brigamos, somente porque precisávamos de *um tempo para ficar sós* e não soubemos conversar sobre isso?

Mas quando existe amor, não se consegue viver longe do outro por muito tempo, mesmo que ele nos mostre nossas fraquezas e nossos medos.

Nossa tendência era de somente querer estar com o outro quando ele estivesse de bom humor. Estar ao lado do outro quando ele estivesse infeliz, nos incomodava; parecia inadmissível que o outro não ficasse permanentemente satisfeito ao nosso lado.

Lembro-me de uma de nossas crises, em que procurei alguém para me aconselhar; falei para ele que a situação estava muito difícil e eu estava pensando em me separar. Ele me respondeu:

"É muito fácil a gente amar alguém, quando essa pessoa está feliz; é fácil amar alguém alegre que nos prepara uma comida; é fácil amar um filho sorridente que quer nos dar um presente; é fácil amar nosso pai quando ele nos liga para dizer que está sentindo saudades. Isso é gostoso, mas não define a grandeza do seu amor. Quando o seu amor e a sua capacidade de amar forem realmente grandes, você encontrará um jeito de manifestálos, mesmo quando sua mulher estiver cheia de reclamações, o seu filho estiver ranzinza e o seu pai estiver chateado. Esse é o nosso grande desafio: amar alguém quando ele nos mostra que a nossa presença não é suficiente para fazê-lo totalmente feliz. Não deixe sua mulher. Ao contrário, procure um jeito de amar cada vez mais intensamente, cada vez mais amplamente, e ela terá duas opções: a primeira é ser contagiada pelo seu amor e envolver-se na atmosfera amorosa que você criar; a segunda é ficar muito incomodada — e não existe nada mais incômodo do que ser muito amado por alguém que não se ama. Lembre-se de quando uma mulher queria estar com você e ela não lhe interessava, como ficava incômoda a presença dela! Se você descobrir um jeito de passar esse afeto à sua mulher e ela não o quiser, ela mesma procurará uma forma de vocês se separarem".

Essas palavras nunca saíram da minha cabeça, e eu me dou conta deste grande desafio: dar o nosso amor independentemente do que encontramos como reação.

Eu me sentia muito frágil quando chegava em casa e preparava um jantar para nós, e logo depois você chegava irritada, jogando em cima de mim suas frustrações e o seu desânimo. Deixava que você me contagiasse com seu mau humor e me sentia como se não fosse importante, porque você não estava valorizando o meu carinho.

Por coisas como essa, vejo o quanto as pessoas se deixam levar pelo que está acontecendo no momento e não fazem o que realmente sabem e têm condições de fazer para viver o amor que merecem. Parece que, quando a princesa beija o sapo, ao invés de o sapo se transformar em príncipe, é ela que se transforma, também, em sapo. A pessoa que está com astral alto tem de encontrar uma forma de impor a sua energia; certamente, respeitando o outro, mas ajudando-o a deixar-se ser cuidado.

É muito triste ver como as pessoas têm vergonha de seus sentimentos e desejos. Antes, eu pensava que só se envergonhavam de suas fraquezas, mas vejo que muitas delas têm vergonha até de estar apaixonadas por alguém. Elas ficam sem jeito quando alguém lhes pergunta se é verdade que estão amando alguém. Parece até que estão erradas por estar apaixonadas.

Quantas vezes, em um restaurante, um homem fica a noite inteira olhando a mulher e, quando ela o observa, vira o rosto como se não tivesse o mínimo interesse?

Hoje, penso que nós deveríamos ser mais bondosos conosco e entender que nunca vamos agradar a todos. Mas que daremos mais chance para que as coisas aconteçam, se demonstrarmos o que sentimos ou queremos, apesar da vergonha que possamos ter. Vejo o quanto uma pessoa se liberta dos seus medos, quando ela se permite assumir a si própria e agir pensando: "Eu estou amando; vou aceitar esse meu amor e só depois vou saber o que realmente vai acontecer".

Quanto é tolo termos vergonha de nós mesmos, de nossas dificuldades e de nossos desejos! É como alguém que, tendo um enfarto, se sentisse envergonhado de estar passando por essa dificuldade.

Quando eu escondia minhas fraquezas de você, por vergonha, eu impedia que alguma coisa de positivo fosse feito e que você me ajudasse a encontrar uma solução. E o pior é que você se sentia desprezada ao ver que eu não estava bem e não compartilhava minhas angústias. Percebo o quanto esse comportamento estimulava o sentimento de você não ser importante para mim.

Tanto eu quanto você, muitas vezes, não soubemos reconhecer os atos de amor de um para com o outro. O apoio que nos dávamos em momentos de insegurança poucas vezes foram vistos como um "Olha! Não há razão para você sofrer com isso. Você é muito maior do que esse problema". E eu sei que era só e exatamente isso que nós queríamos dizer, quando dávamos força um ao outro.

No fundo, nós éramos muito parecidos: muito envergonhados, muito apaixonados, muito ambiciosos... E por isso fazíamos as mesmas coisas um para o outro. Acho que também era por isso que tentávamos tão obstinadamente mudar um ao outro... Por sentir na própria carne o quanto aquelas dificuldades doíam.

Esse é o verdadeiro inferno! Quase nunca aceitamos o outro como ele é... Passamos muito tempo de nossa vida querendo transformá-lo... Vivemos pensando: "Quando ele, ou ela, for deste, ou daquele jeito, começarei a dar-lhe realmente todo o meu amor"...

E nos esquecemos de que, quando o outro não muda, não significa que ele seja teimoso, que não queira fazer algo por nós, ou nos mostrar que somos incapazes de levá-lo a uma mudança. Geralmente, ele também sofre com o que nos causa mal-estar, especialmente quando nos ama. Mas nem sempre mudar é uma questão apenas de vontade...

Quantas vezes eu me sentia como o mais inútil dos seres, porque não conseguia obter de você uma reação que eu desejava? Quantas coisas fazia para convencê-la de que a amava — mudava meu jeito de atuar, lia livros, questionava você — e, no fim, não conseguia coisa alguma?

O contrário também era verdadeiro: quantas vezes eu sofria por não conseguir fazer algo importante para você? Fazia terapia, conversava com amigos, me propunha a fazer e até fazia o que você queria... porém, simplesmente não acontecia! Acabava soando falso.

Casar com alguém significa estar aberto para viver os mistérios que a vida nos apresenta através dessa pessoa; significa pensar na paisagem que existe atrás das montanhas, saber que logo depois há um mundo a ser desvendado e que transpor essa subida é o caminho para o novo mundo.

Muitas vezes reclama-se da subida; outras, desiste-se no meio do caminho. Mas, quando se chega ao outro lado, descobre-se mais do que uma paisagem: descobre-se algo da gente que só poderia ser revelado naquele lugar.

Hoje, percebo o quanto admiro você, entre tantas coisas por motivar-me a pegar um avião, a enfrentar tantas horas de vôo, tantas horas de aeroporto, para chegar a um país com língua diferente, gostos diferentes, enfim, tanta coisa diferente.

Agora vejo o quanto é lindo eu ter começado a viver minha vida e a me experimentar. Você me motivou a sair de frente da televisão e ir ao mundo!

Antes de você, minha vida acontecia através de livros de aventuras. Viajar até Moscou demorava, no máximo, duas páginas de um livro.

No início, era muito difícil para mim! Eu a acompanhava nas viagens que você propunha, mas a cada novo imprevisto eu pensava: "Eu poderia viver isso tudo sem nenhum inconveniente, na pele de um personagem de um livro!"

Até que comecei a entender a diferença entre ler um livro e viver uma aventura... O quão importante é ser, efetivamente, o personagem dessa aventura! Eu admirava sua capacidade de sair andando pelas ruas de uma cidade estranha, à procura de um restaurante exótico que alguém lhe indicara. Eu pensava: "Por que não comemos no restaurante do hotel? É tão mais confortável!"

E o mais estranho: enquanto eu pedia os meus conhecidos frango grelhado e lasanha gratinada, você arriscava pratos que a gente não fazia idéia do que se tratava. E devo confessar que morria de inveja quando, logo ao provar do prato, você constatava que tinha acertado na escolha. Aliás, como era possível você acertar sempre na escolha dos seus pratos?

Existe algo mágico que sempre nos leva ao lugar em que devemos estar, quando ficamos abertos para nos deixar ser levados, ainda que no momento em que iniciamos a ação não compreendamos por que o estamos fazendo.

Aprender a dizer "sim"...

Antes, eu pensava que muitas vezes eu tinha feito algo que não havia gostado porque não soubera dizer "não", e acreditava que o mais importante na vida era saber dizer "não", quando nos aparecesse algo que não nos motivasse. Hoje, vejo que minha maior dificuldade era dizer "sim" para o que me aparecia, a aprender que, freqüentemente, não dizemos "não" verbalmente, mas a nossa postura é de negação. E muitas vezes, depois de aceitar um convite que pensara recusar, eu me surpreendia curtindo o que estávamos fazendo.

Eu me dei conta de que, ao abandonar a postura de dizer "não", e começar a dizer "sim", quase sempre descobria a razão que tinha me levado a aceitar aquele convite.

Os tesouros estão escondidos no coração das pessoas; é preciso ir até elas para encontrá-los!

O nosso coração é cheio de nuanças e caprichos. Às vezes, estamos tão apaixonados que não conseguimos ficar longe do outro nem para respirar. Em outros dias, queremos ficar sozinhos. Num momento temos problemas e no outro, as soluções. Às vezes, queremos o outro, e outras vezes, o outro nos aborrece!

E aprender a lidar com essas variações é imprescindível. Assim como o barqueiro tem de aprender a lidar com o vento contrário, com a calmaria, com o vento favorável, com as tormentas...

Não é sábio querer mudar o vento, mas simplesmente compreendê-lo, aceitá-lo e ver o que de melhor é possível fazer em cada situação.

Imagine se, a cada vento desfavorável, o barqueiro pensasse em abandonar o barco...

Agora vejo que, por não compreender esses movimentos do casamento, pensa-se muitas vezes em separação. Se a pessoa tem vontade de ficar sozinha, ela muitas vezes pensa que é porque o amor está acabando.

Normalmente, quando as pessoas se casam, pensam que compram milhões de ingressos para *shows* e espetáculos sensacionais, que a partir desse momento tudo será felicidade, alegria, que se sentirão apaixonadas todos os dias, todos os momentos, que vão curtir estar com o outro o tempo todo e que o amor é tão grande que não existirão mais momentos de solidão...

Muitas vezes, quando nós estávamos em crise, a primeira coisa que eu pensava era: se não estamos conseguindo nos acertar é porque o amor acabou e eu acho melhor nos separarmos.

E ficar pensando em separação impediu-me de mergulhar verdadeiramente nessa aventura que nós estávamos vivendo.

Hoje, eu me arrependo muito por não ter ido mais fundo, nesses momentos de crise, por não ter entendido que, quando algo não está indo bem, é uma oportunidade para nos conhecermos melhor, é um momento para conversar muito sobre as nossas verdades.

Às vezes, as pessoas não entendem que pequenas brigas para conseguir ser ouvido evitariam grandes brigas em que o resultado final seria somente magoar o outro.

Logo eu, que sempre pensei que arrependimento fosse um sentimento tolo, sem beleza alguma! Eu, que sempre afirmei: "O que foi feito, está feito! Deve ser deixado para trás..."

Muitas vezes, arrepender-se é só uma maneira para viver se culpando... Mas algumas poucas vezes, o arrependimento é importante para mostrar-nos algumas coisas que não são boas para nós e que não devem ser repetidas.

E eu me arrependo de não ter entrado com você numa viagem sem bilhete de volta!

Agora sei que não quero mais viver assim, sempre me perguntando: "A que horas a festa termina?", ou: "Como eu faço para voltar para casa?" Quero aprender a entrar num país novo e rasgar o passaporte, sem me importar com a volta, sem me incomodar com o futuro. Não quero ficar tenso, com medo de que coisas indesejadas aconteçam — mesmo porque, tenha eu medo ou não, se tiverem de acontecer, elas simplesmente acontecerão.

É muito triste ver como nós vivemos o tempo todo com receio um do outro! Quando eu paro e olho para trás, é difícil acreditar em tanto medo que existiu entre nós. Medo de ser abandonado, de ser criticado, de ser julgado; medo de ser traído, medo de tudo...

Quantas vezes, perto de você, eu me senti tal qual um menino frágil, diante da mãe autoritária e todo-poderosa, capaz de fazê-lo sofrer até o infinito?

É desapontador ver como os homens têm tanto medo das mulheres! Muitos amigos meus, quando estamos tomando um chope depois do trabalho, não param de olhar para o relógio. E a cada vez que olham e percebem que o tempo passa, é possível verificar em seus rostos o medo da reação que suas mulheres terão quando chegarem em casa.

Eu imagino que quase sempre nada acontece! Mas parece que o homem não consegue viver sem medo de sua mulher... O que faz com que acabe transformando-a em megera, ficando agressivo ou defensivo, dando explicações vazias e se afastando. Seria bom se ambos percebessem que é importante conversar com o outro, colocar objetivamente o que querem fazer e juntos encontrar uma forma de viver as necessidades dos dois, seria a melhor maneira de viver o lado bom dessa situação: a capacidade de valorizar o outro.

Esse medo que a maioria dos homens sente com relação a suas mulheres convida-as a ficarem mais agressivas, porque elas percebem que o reforçam com suas manifestações e seus maridos acabam fazendo a vontade delas. Quando essa tática não funciona, elas muitas vezes começam a mostrar que estão muito infelizes... E os homens passam, então, do medo para a culpa.

É ruim quando alguém faz algo contra a vontade somente porque está com medo, ou porque o outro vai sentir-se mal, caso ele não o faça. Nesses casos, os ressentimentos vão se acumulando de uma forma tão sutil, que não percebemos que estamos criando uma tormenta onde aparentemente existe a estabilidade. É como lidar com um vulcão ativo: de repente ele estoura, jogando tudo para o alto, sem termos a possibilidade de controlá-lo.

A sua incapacidade de encontrar um jeito de estar bem se tornava um peso sobre meus ombros porque, desde criança, aprendi que eu deveria deixar as pessoas com quem eu convivia sempre satisfeitas, e a me sentir incompleto se alguém ao meu lado não estivesse totalmente feliz. E imagino que você tenha tido também o mesmo tipo de "programação" na sua vida.

Nós aprendemos, então, a permitir que o outro, com seu mal-estar, acabasse decidindo o que devíamos fazer. E não percebemos que todo mundo tem seus dias de insatisfação com algum coisa, e que cada um tem de resolver a sua própria situação.

Nós demos um ao outro o poder de determinar como iríamos nos sentir a cada momento. E a cada dia foi ficando mais difícil saber o que queríamos de verdade. Teria sido importante lembrarmos que cada um tem dentro de si a capacidade de fazer o que precisa para estar bem, sem ficar cobrando do parceiro a realização dos próprios desejos.

Não nos é possível ser livres quando a decisão sobre o nosso bem-estar foi colocada nas mãos de outra pessoa.

Quando as pessoas agem de forma neurótica, vivem situações repetitivas, como se estivessem assistindo a filmes velhos, antigos, dezenas de vezes já vistos anteriormente. Situações que, quando são iniciadas, já se sabe como será seu final.

Filmes em que as pessoas se sentem injustiçadas, não-amadas e culpadas por sofrer e fazer os outros sofrerem.

É incrível como as pessoas se deixam levar por situações que se repetem, sem ter o bom senso de parar, respirar fundo e dizer: "Este filme é velho, já sei como vai terminar... E não quero assistir a ele novamente".

As pessoas entram na mesma armadilha diversas vezes e nem sequer percebem que foram elas mesmas que as construíram.

Uma anedota lembra muito tudo isso: Um sujeito abria sua marmita todos os dias na hora do almoço, olhava surpreso e dizia: "Outra vez sanduíche de berinjela!". Um dia um amigo, ao ver tantas vezes a mesma cena, perguntou-lhe por que ele não pedia à sua esposa para fazer algo diferente para seu lanche... "Eu não tenho esposa", respondeu ele... "Sou eu mesmo que preparo o meu almoço!"

Nós conseguimos tirar alguns filmes de cartaz, mas continuamos assistindo a outros, sem nos termos dado conta de que éramos nós mesmos que os exibíamos.

A maior novidade para mim, no nosso casamento, foi eu ter ficado com alguém, não ter fugido; foi eu ter enfrentado meus medos, pela primeira vez. Só uma mulher tão especial, tão sensível e tão profunda quanto você poderia ter-me dado coragem para enfrentá-los da forma como eu o fiz.

E só hoje percebo todo o medo que eu tinha de ser sufocado por uma mulher, de ser dominado e ter ameaçada a minha liberdade!

Quando me sentia acuado, eu passava a fazer pequenas coisas que me devolviam a sensação de liberdade. Coisas tais como ficar com os amigos, bebendo, sem avisar você. Coisas às vezes sem importância para mim, e que talvez fossem mais gostosas se você estivesse comigo naqueles momentos. Porém, eu percebia que precisava da sensação de não ter de dar satisfação a ninguém.

Queria me sentir livre para pensar em fazer o que bem entendesse! E digo *para pensar em fazer*, porque sei que usava você como uma desculpa para as minhas incapacidades. Na verdade, eu não era capaz de fazer coisas como ir a uma festa e curti-la, ficar conversando com pessoas, dormir até tarde, ser irresponsável. Coisas que não sabia fazer, mas colocava a culpa em você por não me deixar fazê-las. E eu realmente acreditava que você me proibia.

Se tivesse sido mais realista, teria percebido que você não tinha o poder de me proibir coisa alguma; e que, das coisas que eu não fazia, algumas eu não tinha vontade de fazer, outras não tinha a segurança necessária para acreditar que pudesse.

A liberdade é fundamental para que um ser humano possa escolher os seus caminhos. Mas não existe liberdade, de verdade, quando se tem medo das pessoas, medo do amor, medo de intimidade; medo de que o outro olhe em nossos olhos e descubra que estamos apaixonados; medo de parecer sem graça, ou de que o outro nos veja tristes.

Isso não é liberdade! É simplesmente um nome bonito para o nosso medo de envolvimento.

Somente agora eu reconheço o quanto a tal liberdade perdeu a importância nos momentos íntimos que nós soubemos compartilhar. Como, por exemplo, quando depois de todos aqueles anos querendo ter filhos, aquele monte de exames, de relações sexuais com hora marcada, soubemos que não poderíamos tê-los.

O quanto isso era importante para nós dois, e como nós falamos tão abertamente da nossa frustração, da nossa dor! E um soube cuidar do outro com ternura!

Naqueles momentos, eu compreendi o que era viver a dois; ser companheiro numa viagem ao coração... E o quanto uma fatalidade pode aproximar um casal, quando os parceiros estão abertos aos cuidados um do outro.

Quando se sabe realmente estar a dois, sem se perder a consciência de individualidade, a liberdade se funde ao amor. E isso é a verdadeira sabedoria...

É lamentável que, muitas vezes, nós tenhamos perdido o bom humor e a nossa capacidade de brincar com nossas dificuldades, de rir do ridículo que eram muitas das exigências que um fazia ao outro, de fazer um gracejo, ou tentar uma paquera.

Pena que nós não tenhamos realmente aprendido o verdadeiro sentido da *liberdade de estar ao lado de quem amamos*... Deixamos de lado a nossa natureza de seresteiros, de poetas e de criadores de romances, em função das exigências de um orgulho preconceituoso.

Eu até cheguei a fazer algumas coisas ditadas por meu coração, mas acabei por não compartilhá-las com você. E isso foi, no mínimo, lamentável... uma grande bobagem de minha parte, não mostrar-lhe coisas que eu fiz pensando no nosso amor e que diziam tanto sobre nós... Coisas como este poema:

Eu me sentiria feliz se, pelo menos uma vez,
eu estivesse quieto no meu canto, parado,
e você me procurasse,
sem que eu tivesse que mover um dedo,
nem sequer esboçar um sorriso.

Eu me sentiria muito feliz se,
ao cair da tarde, encontrasse seu coração
entrando em meu silêncio,
devassando minha solidão,
desprezando minha timidez,
sem sequer mudar nada em mim.

Eu me sentiria irremediavelmente feliz,
se eu tivesse me dado conta
de pelo menos uma,
das tantas vezes em que isto aconteceu,
não só com você,
mas com tanta gente que eu quis.

Um dos maiores motivos de sofrimento do ser humano é não compreender que as coisas "vêm e vão"; que elas têm seu próprio ritmo e sua própria duração; e que devem ser vividas no seu momento adequado e enquanto durarem.

Eu tinha muito medo do que poderia vir a acontecer e, então, acabava me dividindo em dois! Às vezes, eu vivia o momento, sabendo que isso era o que eu tinha a fazer; outras vezes, eu era uma pessoa que vivia com medo do futuro.

Eu sofria muito em virtude de minha divisão! Embora eu batalhasse para ser um só, ter uma personalidade determinada e mantê-la — eu até que o conseguia por algum tempo —, de repente, brotavam em mim quantidades incontroláveis de emoções, que me arrastavam à deriva e não me davam a chance de retomar meu rumo...

E viver dividido era uma tortura imensa! Quantas vezes, durante uma semana louca de trabalho, eu ficava esperando o final de semana para descansar, e quando ele chegava não parava de pensar no trabalho? Parecia que, se não me preocupasse com o futuro o tempo todo, as coisas não dariam certo.

Quando vivemos no futuro, nosso coração perde, a importância... O que passa a predominar são nossos planos e nossos receios.

Quantas vezes deixei de desfrutar o momento em que estava ao seu lado, pensando que um dia você me deixaria, que iria me trair?

Eu vivia procurando uma forma de garantir que você nunca me abandonaria, que estaria comigo para sempre; e isso gerava muita angústia.

Hoje, sei que o amor não dá escritura definitiva e que querer eternizá-lo é a melhor maneira de perdê-lo. Nunca vamos ter a certeza de que o amor vai permanecer para sempre; e se quisermos, de verdade, que perdure, temos de saber como nos tornar atraentes.

Percebo que as pessoas tendem a se acomodar após o casamento. Pensa-se que, depois que se casa, não são mais necessárias a sedução, a atração, a conquista. No entanto, quando se perdem esses talentos, a insegurança passa a ser a nossa companhia.

Como era louco o meu ciúme de você!

Lógico, eu queria, como qualquer ciumento, proteger o meu casamento e me proteger da dor de ser abandonado. Mas vejo que o que mais me agredia era a possibilidade de ser traído; era saber que, se você viesse a ter outro homem, seria porque eu não estaria sendo suficiente para você. E isso era um outro golpe fortíssimo na minha auto-imagem de sensacional, de maravilhoso e tudo o mais.

Meu ciúme era uma forma de eu lhe dizer: "Você vai me trair porque me ama menos do que eu a amo...", ou: "Eu sou melhor do que você, porque eu a amo mais do que você me ama...". Como se o amor pudesse ser quantificado e, dessa forma, justificasse essa competição!

No fundo, o meu ciúme era uma grande desculpa para eu não me entregar ao nosso amor, porque "já que você iria me trair mesmo" — e isso parecia inevitável —, eu deveria estar preparado para não sofrer ao ser abandonado.

Nessas minhas crises de insegurança, eu acreditava plenamente que não existia outra alternativa que não fosse a de eu ser abandonado por você!

Sentir ciúme de você era uma forma de provar para mim mesmo que o amor sempre gera sofrimento, que as mulheres não prestam e que eu jamais despertaria o amor sincero de alguém...

Um casamento é como a floresta encantada das histórias de crianças, princesas e bruxas. Tudo, ao mesmo tempo, é simples e misterioso. Aparentemente, as instruções são fáceis de seguir: "Olhe, Chapeuzinho, não pare para conversar com ninguém no caminho da casa de vovozinha". Mas quem resiste à tentação de desobedecer instruções, ainda mais quando essa desobediência parece não ter maiores conseqüências?

Os caminhos parecem ser fáceis, mas eles guardam dentro de si perigos, ciladas e armadilhas que exigem virtudes de heróis e sábios para se conseguir chegar ao objetivo.

Numa floresta encantada, encontram-se os pássaros com os cantos mais maravilhosos, as flores com os perfumes mais inebriantes, mas também a maçã envenenada da Branca de Neve, ou a maldição da Bela Adormecida.

Aparentemente, um casamento é algo muito fácil: duas pessoas se amam, querem construir suas vidas juntas, desejam a mesma coisa e se comprometem a consegui-la juntas. Mas, assim como as crianças dos contos de fadas, as pessoas acabam se desviando dos seus objetivos e das instruções que elas sabem que têm de ser seguidas. E, de repente, o casal João e Maria encontra-se perdido no meio da floresta, prisioneiro de bruxas.

Geralmente, quando começam suas relações, as pessoas estão tão deslumbradas que acabam se distraindo e esquecendo dos detalhes que parecem sem importância.

Sem notar, vão se perdendo na floresta linda e fascinante e, quando se dão conta de que estão perdidas, ficam desesperadas e resolvem que cada um deve procurar por si próprio o caminho. E acabam também se perdendo um do outro, restando para eles a única saída de procurar solitariamente o seu caminho de volta.

Alguns casais permanecem juntos somente pelo medo de enfrentar a floresta, que é um mundo que os ameaça. O comodismo de uma relação, ainda que sem amor, lhes dá a sensação de segurança. Mesmo que se torturem dia após dia, não se arriscam a encarar os seus desacertos, com medo de que o resultado seja ter de encarar uma separação.

O amor vai ficando para trás quando um dos parceiros pensa que, com o casamento, a conquista já está definida e relaxa depois de ter conseguido seu objetivo. Como um general romano que, depois de ter conquistado um país, parte para a invasão de um novo território. Porém, todo bom general sabe que, mais do que conquistar, é preciso trabalhar no sentido de manter o território conquistado.

Acha-se que, com o casamento, a mulher já está conquistada e se parte para outros desafios, sejam profissionais, financeiros ou sociais. E quando se olha para trás, vê-se que ela já não está ali esperando. Ela não ficou estática, como se fosse um apartamento que foi comprado e que permaneceu ali, à espera de mobília.

O amor vai ficando para trás quando se pensa que o casamento dá o direito de fazer cobranças ao outro e se passa a viver exigindo que ele cumpra o que seriam suas obrigações. Ele poderá até cumpri-las, mas o fará sem prazer, com a mesma vontade que caracteriza alguém que faz algo somente por obrigação. Para se viver a dois, tem-se de manter acesa a capacidade de seduzir e de conquistar.

Em uma ocasião, no Dia dos Namorados, eu estava comprando um presente para você e aproveitei para comprar também um cartão. E naquele cartão, que nunca lhe entreguei, escrevi algo assim:

Hoje é Dia dos Namorados.

Muita gente vai se sentir triste,

porque não vai receber presente...

Uns porque não têm namorado;

outros, porque eles não se lembraram!

Agora penso que se alguém não recebe presente no Dia dos Namorados, a responsabilidade não é só de quem não lembrou de comprá-lo, mas também daquele que não soube provocar nele a vontade de dar presentes.

Saber seduzir é saber provocar no outro a vontade de dar presentes, de sair, de fazer um poema, de dar um beijo. Puxa vida, e tantos outros milhões de coisas!

Quando a pessoa esquece a capacidade de provocar vontades, começa a cobrá-las e, o que é pior, a cobrar do outro essas mesmas coisas acompanhadas de romantismo.

O amor vai ficando para trás quando não se percebe que cada um dos parceiros muda a cada dia, a cada momento e se exige do outro que permaneça igual ao que foi ontem, que deixe de lado a sua curiosidade em relação à vida. E quando alguém aceita uma vida limitada, contida, é quase inevitável que se sinta infeliz.

Um pássaro preso numa gaiola, com as suas asas inúteis, lembrando dos dias em que voava livre, belo, com todas as suas forças, só pode sentir-se infeliz. Para que servem as asas a um pássaro engaiolado, senão para mostrar-lhe o quanto ele perdeu e o tanto que é infeliz?

O amor vai ficando para trás, quando somente se curte atingir um objetivo, esquecendo-se do prazer de realizá-lo juntos, pouco a pouco.

Acumulam-se bens, tem-se a casa de campo, a casa de praia, o carro de último tipo, com computadores que indicam tudo. Mas o uso individualista desses bens acaba mais isolando o casal do que proporcionando momentos de intimidade. Há partes da casa que são do marido, e a mulher não se sente bem de estar lá, e vice-versa, como se fossem duas casas em uma.

O amor vai ficando para trás, preso em detalhes muito sutis, como os adiamentos que nos dão a impressão de que logo ali na frente retomaremos nosso rumo: só mais um pouco, no ano que vem tudo se arruma, depois que nos casarmos, depois que os nossos filhos crescerem, depois que tivermos a nossa casa...

Deixamos para começar a viver somente depois que algo esperado acontecer, sem nos importarmos com o que estamos vivendo. A promessa de começar a viver em um possível futuro nos ilude. E ao nos darmos conta, estamos muito longe do que queríamos. Parece-nos impossível, então, retomar o rumo.

As pessoas ficam se prometendo que logo ali, em um futuro bem próximo, tudo será diferente, e não percebem que estão se afastando de si mesmas e de sua felicidade.

Pensar que ser paciente vai resolver os problemas é uma ilusão. Ao invés de ficarmos quietos, deveríamos estar gritando bem alto: "Ei, vamos parar um momento! Dá para fazer tudo isso, mas de um jeito que a gente se sinta juntos". Mas ficamos esperando que tudo se resolva com o tempo e que logo no final da floresta encantada encontremos os remédios para nossos males.

Todo mundo sabe realmente o que precisa ser feito e que, no fundo, é tudo muito simples. Tão simples quanto ser preciso regar a flor, ou você ser responsável por aquilo que cativa. Porém, as pessoas se distraem, com a mesma alienação com que os apóstolos dormiram no Monte das Oliveiras, quando Cristo lhes pediu que estivessem alertas porque aquele seria seu último dia com eles.

Cada um sabe da importância do momento, mas, como uma criança na floresta, vai-se distraindo aos poucos e, de repente, está totalmente perdido.

Um dia, percebemos que nós éramos João e Maria perdidos na floresta, que o casal modelo que éramos para os nossos amigos já não se entendia. Que o prazer de estar juntos tinha sido substituído por tédio.

Depois de tantos anos maravilhosos, tantas coisas juntos, depois de tantos momentos intensos, o que parecia que só acontecia com os outros aconteceu conosco. Estávamos perdidos, sem saber como voltar a viver realmente juntos.

Foi um choque quando percebemos que de nossas conversas não saíam soluções que nos dessem prazer de estar juntos por mais que algumas horas. Parecia que não havia nada que nos devolvesse aquela magia.

Nós dois éramos pessoas bem-sucedidas em todos os objetivos de sucesso, amigos, dinheiro, mas não conseguíamos encontrar um jeito para nos ajudar a retomar o nosso caminho. Nosso amor não parecia suficientemente forte para nos manter unidos.

Puxa vida! Como fomos fazer aquelas coisas que dizíamos a nossos amigos que não poderiam ser feitas, porque acabavam levando a um distanciamento?

Entramos naquela crise em que parecia que o outro era o culpado de todos os erros, que tudo dava errado por causa do outro, naquela fase de acusações que só nos levavam a ficar machucados e mais distantes um do outro.

Nós paramos de perceber que ambos estávamos mudando e cobrávamos mutuamente que reagíssemos como antigamente; o que criava um ambiente difícil para que pudéssemos continuar crescendo enquanto estivéssemos casados.

Parecia que o nosso casamento tinha se tornado um vaso pequeno demais, que limitava o desenvolvimento dessas árvores chamadas eu e você. E, pior, que as sufocava e as levava à morte...

Começamos, então, uma disputa para provar um ao outro quem estava certo. E acabamos esquecendo o amor! Estar certo passou a ser mais importante do que encontrar uma forma de estar juntos.

A partir daí, esquecemos que o nosso objetivo na vida é ser feliz! Parecia que o nosso desejo era fazer o outro sentir-se inferior e culpado pela nossa infelicidade.

Tudo o que fazíamos nessa época parecia ter como objetivo ferir um ao outro. E tudo o que se fazia, mesmo que com a melhor das intenções, demonstrava um desejo de machucar.

E agora eu fico pensando se a melhor atitude nossa não teria sido termos nos afastado um pouco. Nem digo termos nos separado, mas termos encontrado uma forma de criar um espaço onde cada um pudesse refletir em suas próprias coisas, seus desejos e sua agressividade na relação.

Nossas conversas para acertar os ponteiros passaram a ser batalhas, em que cada um procurava machucar o mais possível o outro; em que se procurava mostrar o quanto se era melhor que o outro, a partir dos sacrifícios que cada um havia feito durante o tempo no qual vivemos juntos. Talvez o melhor fosse cada um ter um tempo para si, refletir melhor no seu momento, ao invés de ficar fazendo o outro sentir-se responsável por seus medos e frustrações.

Porém, não bastaria apenas nos afastarmos, simplesmente porque as coisas não estavam dando certo. Isso talvez aumentasse a nossa sensação de fracasso, sem nenhum proveito real. Seria necessário encarar esse período como um tempo de reflexão e de um contato maior consigo mesmo.

À medida que nossas conversas não conseguiam levar ao desarmamento de nossas frustrações, começou uma luta para ver quem era o melhor, quem tinha se dedicado mais ao casamento. Cada conversa era uma batalha, em que aquele que perdia aproveitava o tempo para recolher recursos e então vir mais forte para a próxima.

Os ressentimentos e as mágoas foram aumentando, até que chegou o momento em que ambos desanimamos. A separação se tornou, então, uma decisão que cada um de nós tomou em seu próprio coração e não comunicou ao outro.

Às vezes tocávamos no assunto, na forma de ameaça, mas não abríamos os corações para evidenciar essa decisão.

E quando uma separação está decidida, fica muito difícil fazer qualquer coisa que não seja falar sobre ela.

Sente-se nos olhos do outro que ele não está mais conosco em momento algum. Seu corpo pode estar presente, mas não há brilho nos olhos, o que significa que o coração está distante...

Era muito difícil, para mim, ver nosso casamento desmoronando.

Eu passei a minha vida construindo prédios, estradas e pontes que nunca desmoronavam. Mas não consegui construir o meu lar de maneira que ele não caísse.

Mesmo sabendo que eu era uma das pessoas que provocavam sua queda, na verdade, cada vez que ele ruía, eu me sentia muito incompetente e, por isso, no auge de nossa crise, eu passei a trabalhar mais do que nunca!

Hoje, não penso que se eu tivesse trabalhado menos nós não teríamos nos separado, mas teria sido mais humano para mim mesmo ter criado condições para eu me entender no meio daquela revolução toda.

Cada parede que eu construía me ajudava a manter a ilusão de que a culpa não era minha... Que eu nada tinha a ver com a queda das paredes do lar. Trabalhar era uma forma sombria de eu procurar esquecer minha confusão a respeito do que estava ocorrendo.

Lidar com tijolos e blocos era mais fácil do que lidar com meus sentimentos.

Lidar com livros era muito mais fácil do que lidar com acontecimentos!

Por isso, eu lia como um louco todos os jornais, até o que estava passando nos cinemas, em cidades de outro estado. Às vezes, eu lia de novo o mesmo jornal, para não ter de pensar no que estava acontecendo entre nós.

É triste ver o quanto não soubemos pedir ajuda um ao outro; pelo contrário, nos isolamos mais, parecia que o outro não tinha importância. Nós quisemos parecer fortes, mostrar maturidade, mas no fundo tínhamos medo de que o outro visse o quanto estávamos frágeis.

Para facilitar aceitarmos o distanciamento, começamos a procurar defeitos no outro o tempo todo, a mostrar para nós mesmos o quanto o outro era aborrecido, chato e que, com a separação, não íamos perder grande coisa...

É surpreendente como conseguimos reclamar de coisas que, em outros momentos, são motivos de alegria e satisfação.

Depois de alguns meses, nós começamos a falar em separação.

Embora só nessa época tenhamos reconhecido essa hipótese como uma opção para não continuarmos nos machucando, e para cada um descobrir de novo o seu jeito de se encontrar com alguém, a verdade é que já estávamos distantes há bastante tempo.

Acho que, por isso, falar em separação não era tão difícil nem tão doloroso; porque quando se está distante, sabe-se que separar é uma forma — não a única, mas talvez a mais fácil — de se dar uma chance para parar de se machucar a dois.

Ainda que falar fosse fácil, pensar na separação era extremamente difícil, porque eu continuava a pensar em você como a mulher da minha vida e não conseguia imaginar-me vivendo sem sua companhia.

Percebo que só voltamos a ter conversas abertas quando a possibilidade de separação passou a ser uma opção a ser considerada. E foi surpreendente ver que ela fazia parte dos seus pensamentos tanto quanto dos meus.

Assim é a separação: apesar de as pessoas pensarem nela, quando o relacionamento não está bem, e a esquecerem quando as coisas se acertam, parece que existe um momento em que ela se torna definitiva e irreversível; pode-se até não falar a respeito disso, mas a decisão está tomada e a partir daí o que se espera é o momento de assumi-la, com o menor trauma possível.

Geralmente, as pessoas sentem vergonha por haver jurado amor eterno a alguém e agora estar desistindo desse amor.

Quando as pessoas se apaixonam, fazem promessas que, no íntimo, sabem correr o risco de não cumpri-las; mas o envolvimento da paixão leva a fazê-las e depois a sentir-se amarradas. Um amor sem essas promessas perderia muito do seu romantismo, da sua graça, mas querer cumpri-las todas é muito complicado, porque são promessas como as de poetas e trovadores, seres tão livres que parecem donos do Sol e da Lua, do mar e do céu.

A separação é algo que as pessoas imaginam assumir apenas quando o amor acabar. Mas o que deve definir a separação não é a falta de amor, e sim o reconhecimento de que o tempo da relação se esgotou.

Apesar de se querer bem ao outro, o jeito de apertar a pasta de dente começa a incomodar muito, assim como o gosto musical, o tipo de filme, o jeito de falar, coisas que não significam que o amor acabou, mas que não se está encontrando mais um jeito de ser feliz juntos.

Às vezes, o amor acaba antes de a relação terminar! Mas também é possível que o amor permaneça por muitos anos, após uma separação.

Se duas pessoas que estão se machucando permanecem juntas por tempo demais, muito da energia amorosa se transforma em ressentimentos. E quando elas se separam, não há mais um sentimento de respeito mútuo, e sim um desejo de se magoar mutuamente.

E apesar de tantas vezes eu haver pensado nisso, foi muito doloroso quando você me comunicou a sua decisão de separar-se.

E em meio a tanta conversa, a raiva por você ter ousado tomar essa decisão foi tão grande quanto a minha dor por estar separando-me de alguém que eu ainda amava tanto...

Parece que o homem não acredita que sua mulher vai ter a coragem de tomar essa decisão; parece que, no fundo, ele imagina que ela vai ficar, como as mulheres sempre ficavam no passado: se submetendo a tudo e a todos, com medo de ser rotuladas de desquitadas ou separadas, e tendo como castigo, por esse rótulo, a solidão eterna.

Apesar de tudo, eu pensava que você nunca iria levar adiante a decisão de separar-se; pensava que mais cedo ou mais tarde você acabaria aceitando minhas condições para que continuássemos juntos.

Eu usei tudo o que pude para fazer você mudar de idéia: fiz ameaças, fingi que não dava importância a você, prometi presentes, disse que uma viagem resolveria tudo...

Foi duro perceber que sua decisão era irreversível.

A planta buscando o sol...

A vida querendo seguir...

O rio procurando o seu caminho.

Por ter tantas vezes pensado em me separar, sem conseguir levar adiante essa decisão, eu me considerava um fraco. Mas hoje vejo que a dúvida de se separar de alguém que se admira é muito grande.

É inevitável pensar que, se déssemos mais uma chance, resolveríamos essa crise. Ainda que tantas chances já tivessem sido dadas, e tantas coisas diferentes houvessem sido tentadas. O medo de estar tomando uma decisão errada paralisa...

A dúvida exige muito tempo para que uma decisão amadureça. É duro acostumar-se com a idéia de viver sem alguém com quem se planeja viver a vida inteira. Especialmente, é necessário que se tenha muita coragem para afastar-se de alguém a quem se ama.

E você teve essa coragem...

Aliás, as mulheres normalmente são muito mais corajosas e honestas nos assuntos de amor do que os homens. Como o objetivo maior da vida delas é amar, a insatisfação no amor geralmente é sentida como um empecilho muito forte para a felicidade.

A tendência da mulher é de sempre buscar uma solução para os problemas afetivos. Por isso, ela vai procurar dialogar o tempo todo, quando uma situação não estiver fluindo bem, porque o amor é o espaço do qual sai a energia para as outras realizações de sua vida.

E quando ela se define pela separação, é sinal de que já está cansada de procurar uma fórmula para fazer a relação fluir. Ou então é sinal de que existe outro amor em sua vida.

É sempre mais fácil pensar que, se alguém nos abandona, o faz por outro amor. Isso coloca toda a responsabilidade pela separação nos ombros de quem parte... Pensa-se que quem tem um novo amor é um fraco e irresponsável; não cumpriu sua palavra, deixou de ser fiel e quebrou a promessa de permanecer na relação para o resto da vida. Quem ama a outro é o errado, e quem foi abandonado é a vítima inocente, o honesto.

Parece até obrigatório ter a capacidade de adaptação a uma vida insatisfatória, para manter a dignidade. Parece que quem parte sacaneia e eleva o abandonado à condição de mártir... E um mártir é digno de elogio — ou, no mínimo, de compaixão.

Acho que foi por isso que muita gente, ao saber de sua decisão, perguntou-me se você tinha outro. Era a maneira de me dizer que eu era um cara legal!

Eu perguntei se havia outro homem em sua vida... E embora você dissesse que não, que você apenas estava cansada de nossa vida a dois, insatisfatória e sem mudanças, eu não conseguia parar de pensar que você estava partindo por causa de outro amor... Mesmo quando, ao olhar para você, eu via toda a sua dor por me deixar, apesar de me amar.

Essa era a melhor maneira que encontrei para não ter de assumir as bobagens que fiz com você, comigo mesmo e conosco.

Lutei muito para fazer você mudar de idéia e lhe prometi de novo as mesmas coisas que já havia prometido e não cumpri. Para mim, era quase uma questão de honra não deixar que você me abandonasse; embora isso diminuísse minha culpa na separação, pois não era eu quem estava partindo.

Sinceramente, não sei o quanto disso era amor lutando para não morrer, e o quanto era orgulho ferido, por sentir-me desprezado.

Muitas vezes, eu dizia a mim mesmo para acabar logo com tudo isso, ser verdadeiro, arrumar minhas coisas e sair. Mas eu também estava sendo verdadeiro quando chorava e lhe dizia que não podia viver sem você.

Sentimentos tão opostos e tão diferentemente verdadeiros... Mais do que nunca, eu me sentia dividido!

Às vezes, parecia que eu tinha a certeza do que queria... Então, me vinham pensamentos e choros sem motivo aparente que me mostravam o quanto eu estava perdido. Era importante, mais do que tudo, que eu descobrisse a minha verdade.

Era um turbilhão de emoções e sensações. Eu me sentia perdido. A vida havia me colocado em um oceano de ondas enormes e violentas, que me jogavam de um lado para outro, à deriva.

Na verdade, creio que vivemos permanentemente navegando por esse oceano! A diferença é que a ausência de ondas, às vezes, nos sugere que temos o domínio das coisas referentes à nossa vida.

Mas somos maus marinheiros, tripulando pequenos barcos, sobre os quais temos algum poder. E esse poder certamente é muito menor do que nossa vaidade nos faz acreditar.

Por isso, quando as ondas vêm, nos sentimos tão perdidos. Não pelas ondas em si mesmas, mas simplesmente pelo fato de que a presença delas faz com que percebamos que não somos tão donos da nossa vida quanto queremos acreditar...

Naqueles dias, enquanto preparava a saída de casa, minha cabeça não parava de girar, tentando entender tudo o que estava acontecendo comigo.

Às vezes, tinha uma sensação de alívio; pensava que finalmente tudo estava acabando e que, dentro em breve, eu estaria livre para começar um novo amor.

Logo depois, sentia tristeza e uma vontade de encontrar alguma coisa a ser feita para que continuássemos juntos.

Em outros momentos, sentia culpa por não ter feito algumas pequenas coisas que teriam sido boas para nós dois... Depois vinha a raiva, o sentimento de rejeição por tudo em que eu achava que você não tinha sido legal comigo, e por estar sendo tão fria ao acabar com a relação, sem nos dar mais uma chance.

Só agora percebo que, na firmeza de sua posição, mais do que um *"não quero mais viver com você"*, existia um *"não quero viver com você desse jeito"*.

Eu imaginava estar aberto para mudanças, desde que houvesse uma disposição sua para continuarmos juntos. Mas não conseguia ver em você nenhuma outra posição que não fosse a de acabar com o nosso casamento.

E para mim isso se transformou na conclusão dolorosa de que você não me amava mais!

Hoje, sei que você não estava vazia para mim. E, por isso, sei também o quanto lhe doeu tomar aquela decisão. Só que eu estava muito ocupado em juntar os meus pedaços, para imaginar que você estava fazendo o mesmo com os seus...

Sair de casa não representava somente deixar você... Mais do que isso, representava deixar para trás todos os meus sonhos ao seu lado... sonhos de manter um casamento único, amoroso e definitivo. Sonhos que eu alimentava desde criança, num desejo íntimo, muito forte, de que comigo pudesse ser diferente do que tinha sido nos casamentos frustrados de pessoas que conheci.

Sonhos que eu sabia serem possíveis de se viver, pois os tinha vivido com você! Mas que, no momento em que nosso casamento terminou, pareceu-me que não conseguiria vivê-lo com mais ninguém.

Como as pessoas conseguem ampliar seus problemas!

Tudo bem que me sentisse mal naquele momento, porém, pensar que não sairia daquela fossa era uma forma de transformar o ruim em péssimo.

Por que não se consegue lembrar que as coisas sempre são passageiras? O prazer passará e a dor também, tudo tem seu próprio tempo. Imaginar que a dor vai continuar a vida inteira é somente mais uma forma de aumentá-la.

Será que existe momento mais doloroso do que aquele de fazer as malas, olhar para a casa onde vivemos juntos, engolir o soluço, colocar as coisas no carro, falar para si que agora é começar uma vida nova, quando o coração aperta e diz: "Não era nada disto que eu queria"?

Era duro saber que não mais dormiríamos juntos; nem teríamos mais aqueles momentos em que, tomados pelo sono, deixávamos os ressentimento de lado, e o nosso inconsciente nos traía com declarações de amor, abraços de ternura e carinhos doces. Quantas vezes eu acordei assustado no meio da noite, ao ouvir a minha voz, ou a sua, falando de amor, mesmo quando tínhamos ido dormir brigados?

Não haveria mais surpresas carinhosas no meio da noite!

De agora em diante, seria cada um em sua própria cama, com sua própria solidão.

E sem direito a sentir saudades...

Sem direito a saudades, naquele momento em que fechamos todos os portões atrás de nós, inclusive o do nosso coração. E é inevitável que uma pergunta fique martelando em nossa cabeça, o tempo todo: "Por que tudo terminou?"

Por que havíamos terminado?

Há quanto tempo o nosso casamento havia acabado?

Depois de tantos anos juntos, crescendo e criando, tudo acabou.

Foi preciso muita coragem para admitir que nossos caminhos já eram diferentes... E que era o momento de não mais usar o outro como desculpa para as crises que a existência reserva para cada um.

Agora, nós não teríamos mais um ao outro como justificativa para nossas angústias e medos. Chegara a hora de olhar para dentro de nós mesmos e enfrentar nossas próprias verdades.

Na minha busca por uma explicação para o rumo que nossa vida havia tomado, não encontrava uma resposta que me proporcionasse sossego por mais de uma hora. A maioria delas me satisfazia, no máximo, durante dez minutos. E, na verdade, creio que não existia uma resposta definitiva...

Hoje, eu percebo o quanto foi bela a luta que nós dois tivemos para encontrar uma forma de permanecermos juntos; o quanto o nosso amor procurou por soluções. Quantas conversas, tantas coisas lindas! O tanto que o nosso espírito batalhador se recusou a aceitar a hipótese de separação antes de esgotar todas as possibilidades.

No começo, eu dizia para mim mesmo: "Já que a separação é um fato consumado, não vou gastar meu tempo sofrendo com isso!" E pensava em me abrir para a vida e fazer tudo o que eu sentira ser proibido durante os anos em que estivemos casados.

Eu pegava o jornal e começava a ler os programas... E percebia que não tinha vontade alguma de fazer as coisas que lá estavam! Não havia um filme que me atraísse, ou um *show* que me animasse.

O que tinha sido feito de toda aquela vontade de sair, que eu sentia antes?

E onde estava aquela sede de liberdade, que eu tanto sentia necessidade de saciar?

Percebi que, se eu não me empurrasse, nada diferente aconteceria. Que ficar em casa mofando, barba por fazer, não era o meu estilo de vida, mas somente um jeito de me sentir miserável e convidar as pessoas a sentirem pena de mim. Afinal de contas, eu também queria uma oportunidade para viver a minha vida de um novo jeito, e ficar queimando meus olhos em frente de uma televisão não era a melhor maneira para eu me encontrar.

Então, criei coragem, reuni forças, e comecei a sair, procurar amigos, ir à procura da minha tão sonhada liberdade.

Algumas vezes eu percebia em mim uma sensação gostosa, de estar só, comigo mesmo. Como era bom não ter a quem dar satisfação!

Outras vezes, sentia um vazio! Faltava o seu corpo junto ao meu, os seus comentários depois do filme, a cumplicidade vagabunda de pedir mais um chope.

Porém, o mais duro era ver "você" entrar nos lugares em que eu estava... Quantas mulheres eu vi e pensei que eram você? Mulheres de todos os tipos: loiras, morenas, ruivas... Muitas vezes, elas não tinham a menor semelhança com você, mas eu conseguia vê-la e sentir uma alegria imensa, e uma vontade enorme de correr até você e beijá-la.

Mas eu tinha medo de olhar para o lado, com receio de vê-la acompanhada por outro homem.

E quando, finalmente, eu percebia que não era você, eu me sentia "aletriste"; frustrado e aliviado, apesar de toda a minha curiosidade de saber como você estava.

Aos poucos, fui entendendo a importância da nossa separação, de não ter alguém em quem jogar as minhas culpas, de não ter alguém com quem brigar, de aprender a conversar comigo mesmo, de aprender a ser o meu grande amigo.

E então, aquela frase: "Amar ao próximo como a ti mesmo..." começou a ter sentido para mim... O sentido de que eu só iria ter capacidade de amar alguém, na medida em que eu soubesse amar a mim mesmo!

Separar-me de você foi o ponto de partida para eu começar a distinguir os meus sentimentos. Saber que era possível eu sentir afeto ou raiva por alguém, descobrir quais eram os meus gostos verdadeiros e perceber quem eu realmente era e que estilo de vida queria ter...

Foi o início da compreensão da diferença entre estar com alguém e ser dependente desse alguém. Depois de um tempo totalmente perdido, comecei a aprender a cuidar de mim, a curtir morar sozinho.

Morar sozinho de novo, fazer supermercado, dar ordens à faxineira, preparar meu jantar em algumas noites em que queria ficar sozinho em casa...

Até que você me telefonou, dizendo que estava com saudades e que estava difícil viver sem mim...

De repente, senti um tremor nas bases, as dúvidas voltaram. Aceitei seu convite, mas fiquei naquela expectativa de como seria encontrar você de novo. Queria muito estar ao seu lado, mas tinha medo de voltarmos a nos machucar como antes.

Saímos para jantar...

Foi lindo conversarmos sobre o que tínhamos descoberto a respeito de nós mesmos, assumirmos erros, pedirmos perdão, falarmos em mudar! Nossos olhos se descobriram apaixonados, e eu me surpreendi com você, com sua maturidade.

Nos últimos tempos, em nossa crise conjugal, a angústia havia consumido toda a sua beleza. E agora, mais do que nunca, você estava incrivelmente bela...

Eu fiquei ainda mais surpreso quando você disse que não queria se casar, nem morar comigo novamente, queria apenas recomeçar o namoro, cada um com a sua vida; voltar à conquista, começar a conhecer as novas pessoas em que nos tínhamos tornado...

É verdade! Cada um de nós era uma nova pessoa e era preciso, antes de tomar qualquer decisão, saber quem era essa pessoa.

Adorei a idéia de namorar porque, apesar do nosso encontro ter sido sensacional, havia um ritmo em cada um de nós que deveria ser respeitado; havia a necessidade de darmos tempo a nós mesmos, para experimentar a sensação de descobrir novamente um ao outro, e, principalmente, havia o medo de repetir nossos erros.

Nessa noite, eu fiquei admirado com tantas coisas lindas que você me disse! E me lembrei de uma frase: "Nós só conhecemos a pessoa com quem nos casamos depois que nos separamos dela!"

Sempre pensei nessa frase pelo lado negativo, pois eu achava que, quando um casamento acabasse, viria todo um processo de cobrança e de mesquinhez.

Porém, naquela noite, eu senti que você podia realmente se mostrar bela, livre e solta, pois não precisava mais se preocupar em não me perder...

Lembro-me de que nós fomos a um motel e que, para minha surpresa, nós nem mesmo nos importamos com sexo!

Simplesmente não parávamos de falar sobre tudo, especialmente sobre nós!

Foi lindo o quanto a gente se abriu e se mostrou um ao outro. E o melhor é que isso tornou possível entender que o outro é tão humano como a gente é.

Deu para perceber que muito do que cada um de nós havia feito no passado era unicamente a sua maneira conhecida de procurar fazer funcionar uma relação amorosa. Somente então percebi que não havia maldade no que você havia feito a mim; era apenas o seu jeito de reagir quando ameaçada. E se não tivesse sido comigo, você teria feito a mesma coisa com outra pessoa; não para machucá-la, mas simplesmente para procurar garantir que você fosse amada e protegida.

Agora compreendo que, na maioria das vezes, as pessoas agem de determinada maneira porque esse é o seu jeito de ser, e não porque nós tenhamos feito algo, certo ou errado, que pudesse levá-la a agir dessa ou daquela forma.

Como diria um amigo meu: "Nada pessoal!"

Naquela noite, depois que a deixei em casa, fiquei nas nuvens! Redescobrir você me deu tanta energia, que eu não conseguia dormir!

Quando o dia amanheceu, eu saí da cama e, pela primeira vez, pensei em lhe escrever. Era meu desejo mostrar-lhe o quanto eu estava consciente do que tinha vivido com você, e era também uma forma de procurar acabar com o nosso passado ruim. Mas naquele dia eu apenas pensei... O que eu realmente fiz foi comprar umas flores e mandar para você.

Liguei para você e combinamos jantar novamente...

Quando fui buscá-la em sua casa, já não sentia a energia da noite anterior.

De repente, algo se tornou claro: o nosso passado de amor não dava energia suficiente para reconstruirmos alguma coisa juntos. Ainda existia carinho pelo que tínhamos vivido e pelo que poderia ter sido,porém, nós dois já não formávamos mais um casal.

Bem que tentamos, no início do jantar, reatar o romantismo da véspera, mas percebemos o quanto nossos corações ainda estavam machucados. Eles nos mostravam que, antes de mais nada, era fundamental voltarmos a ter confiança mútua.

A partir daí, chegamos à conclusão de que o momento era para iniciarmos uma amizade. E não para tentarmos reativar um namoro... A ausência de sexo no motel havia sido uma dica.

O que precisávamos, realmente, era conversar, limpar nossos corações... Casar, naquele momento, significava voltar a querer tentar mudar um ao outro, para satisfazer as próprias necessidades. Ser amigo significava compreender, aceitar o outro e respeitar o seu momento.

Afinal, é como se diz: "Não acorde os mortos, enterre-os e deixe-os no seu próprio espaço!"

Aliás, aceitar a morte, aceitar a perda, aceitar que tudo que está conosco um dia certamente não vai mais estar, é uma sabedoria que bem poucas pessoas conseguem obter.

As pessoas esquecem que tudo é temporário, inclusive a nossa permanência no planeta. Na tentativa de garantir que algo fique do jeito que nós planejamos, fazemos loucuras, negamos tanta coisa e não percebemos o que realmente está acontecendo. Negamos a nossa própria capacidade de ver, para garantir um sonho; negamos a nós mesmos, aos outros, negamos aquilo que é real, para manter a ilusão de que o sonho continua...

É incrível como as pessoas mantêm determinadas ilusões, para não entrar em contato com a realidade, e não assumir responsabilidades sobre a sua própria vida. Criam-se explicações, projeções e vive-se esperando que se realizem, mesmo quando está claro que não acontecerão. Como a esposa do alcoólatra: ela vê que o marido nada faz para deixar o vício e, mesmo assim, vive repetindo para si mesma que ele vai mudar; e se desespera todos os dias, quando ele volta para casa embriagado.

O universo existe para justificar nossas explicações; ele tem o seu próprio caminho e jeito de acontecer.

Nos momentos de raiva, eu tinha a fantasia de que seria impossível para você, com seu gênio, encontrar alguém que a amasse e quisesse ficar ao seu lado. Pensava que, depois de mim, você não encontraria ninguém que valesse a pena.

Até o dia em que eu soube que você estava saindo com alguém!

Doeu muito, pois vi que ainda continuava vivendo através de você. Tomei um choque ao constatar que você estava procurando o seu caminho, enquanto eu vivia na ilusão de que, a qualquer telefonema meu, você voltaria para mim...

Era como se eu fosse a Bela Adormecida, esperando pelo beijo do príncipe.

A princesa que dormiu cem anos, a partir dos quinze, acordou com a mesma idade e todos no reino não haviam mudado, esperando por ela.

Imaginava que, se ficasse passivo, as coisas ao meu redor não mudariam e a vida de todo mundo pararia, esperando o momento em que eu acordasse.

Era hora de parar de sentir pena de mim, e também de abandonar a ilusão de que você ainda vivia para mim. Já era tempo de admitir que não éramos mais a referência para a vida do outro.

Descobri que o mundo funcionava, e que as pessoas viviam, independentemente de como eu achasse que as coisas deveriam acontecer. O universo tem suas leis próprias, e eu não estava fora delas.

Nessa época, me senti rebaixado, de semideus a ser humano, e ao mesmo tempo em que me sentia muito frustrado, ao ver que meu poder era muito menor do que imaginara, percebia que existe uma força no ser humano que não consiste em querer controlar o outro, mas sim em conhecer-se cada vez mais profundamente.

Eu me dei conta de que o presente é o tempo que tenho para viver. Quando vivo no passado, só tenho sentimentos de culpa e ressentimentos e, se me preocupo com o futuro, acabo ficando permanentemente com medo.

O passado não pode ser mudado, simplesmente porque já aconteceu; então, o melhor é aceitá-lo e compreender que foi necessário o que ocorreu para aprendermos as lições da vida. O futuro é uma incerteza, pois traz dentro de si as surpresas, inevitáveis; e certamente saber vivê-las é um dos mais belos desafios de nossa vida.

O único momento em que dá para ser feliz é o agora. E, naquele momento, nós não estávamos mais juntos e era tempo de eu parar de ficar esperando o seu próximo movimento, para mexer as peças do meu jogo.

A vida não é um jogo de xadrez onde um fica à espera do movimento do outro, para somente então decidir o que fazer. Na vida, os dois tomam suas atitudes e é importante que elas não sejam simples reações às do outro, isto é, que um não fique alegre ou triste a partir do que o outro faz.

Certas ou erradas, superficiais ou profundas, minhas ações deveriam vir mais do meu coração do que dos meus valores, porque eu não sou simplesmente uma continuação do meu passado, e sim um ser novo e mágico que me surpreende a cada momento.

Aos poucos, fui voltando a respirar aliviado. Estar sozinho foi deixando de ser somente uma vivência de solidão e passando a ser um tempo para eu me conhecer melhor e saber o que eu queria da minha vida.

Fui entendendo o significado daquela frase:"Para quem chega ao fundo do poço, só resta a alternativa de subir!"

Ter vivido com você me ajudou a sair do meu esquema de solidão. E ter me separado de você me ajudou a desistir de querer ser dependente de alguém.

Com o tempo, fomos retomando a nossa amizade, voltamos a falar pelo telefone, paramos de nos preocupar com a possibilidade de o beijo no final da conversa ser visto como um convite para reatarmos nossa relação do passado, passamos a falar de nossos novos relacionamentos.

Você lembra o quanto brincávamos com a nossa nova abertura, dizendo que éramos tão moderninhos que parecíamos ingleses?

Foi muito importante sentir que nossa amizade foi ficando forte e ver o quanto torcíamos pela felicidade do outro. Nessa época, eu passei a admirar você mais ainda pela sua maturidade em procurar um novo amor, aprender as lições da vida, enfrentar os seus medos e ir atrás do que você queria.

Ter uma imagem admirável de você me deixou mais aberto para voltar a amar e confiar em uma mulher. Quando eu consegui ver você soberana, ressurgir das cinzas, ficou mais fácil ver quantas mulheres existiam também admiráveis, dignas de crédito e de confiança.

Em muitos momentos, eu ainda senti muitas saudades de você. Entendi que terminar um grande amor tem o seu tempo, e que esse tempo deve ser respeitado. Entendi que sua presença ainda estaria na minha vida não somente nos discos antigos, livros, fitas, quadros, bilhetes, cartas, presentes e outras coisas que me lembravam você, mas estaria também na minha pele, nos meus olhos e no meu coração.

Eu aprendi que era inevitável que você aparecesse em alguns momentos da minha vida, mesmo sem ser convidada. Passei a aceitar isso porque entendi que, naquele momento, o seu lugar era ali. Não porque a pessoa que estivesse comigo não fosse interessante, ou menos interessante do que você. Mas porque você aparecer, simplesmente acontecia.

É como a chuva em alguns dias de verão!

Simplesmente acontece, sem que se possa evitar!

Percebi também que lembrar de você em outros momentos era uma forma para não me entregar a alguém, uma desculpa para eu não aprofundar algo que estava acontecendo, e vi o quanto isso não era bom para mim. É ruim usar algo do passado para não deixar o novo acontecer!

E quando você aparecia, porque eu a chamava, quando a convidava para me ajudar a atrapalhar um momento de amor que estava vivendo, percebia que você vinha sem vontade. Eu a usava para ficar fazendo comparações em que você sempre era a melhor. Trazia você para me ajudar a continuar solitário! E então descobri que, nessas vezes, era só eu lhe pedir, que você ia embora da minha mente.

Aprendi muito sobre o amor, a partir de nosso casamento. Tornei-me mais paciente com o ser amado e comigo mesmo.

E entre tantos aprendizados, ficou muito mais claro para mim que não há sentido algum em procurar moldar as pessoas de uma forma que nos agrade.

E também o quanto é importante deixar claras as coisas que nos incomodam em nosso parceiro! E ainda saber que a decisão sobre o que fazer a respeito delas é dele; é ele quem vai escolher seu próprio caminho.

Compreendi também que algumas coisas na vida dependem de vontade e disciplina, e outras simplesmente acontecem; são do jeito que são e a nós cabe somente a possibilidade de aceitá-las.

A partir de nossas conversas e das mudanças por que eu passei, pude compreender o quanto cada um de nós tinha sido importante para o crescimento do outro.

Foi bom poder retomar coisas do passado com uma visão atualizada: conversarmos sobre nossos amores, rirmos do nosso passado confuso, brincarmos com as bobagens que tínhamos feito... Falarmos abertamente a respeito das nossas inseguranças e de como a felicidade do outro nos dava prazer.

E eu me descobri com o coração limpo, quando me percebi comemorando o fato de você estar se casando de novo.

Que coisa boa foi ter me livrado daquele sentimento de culpa e rejeição por nos havermos separado!

Existem coisas que nós só aprendemos depois que as vivemos. Na adolescência temos a idéia de que vamos descobrir um jeito especial de viver, de forma que só teremos prazer e felicidade. Quando os problemas aparecem, ficamos desesperados.

No começo, a tendência é culpar sempre os outros; responsabilizamos os pais, o ser amado, os chefes; depois culpamos a nós mesmos e ficamos procurando o que está errado conosco, o tempo todo. É um período em que vivemos depressivos, pois não conseguimos encontrar nada de bom em nós mesmos.

Depois percebemos que a felicidade é um jeito de viver a vida, não simplesmente uma coleção de momentos felizes, mas uma postura de compreensão diante dos acontecimentos de nossa vida. Uma forma de entender que o sofrimento é inevitável. Assim como o prazer também o é.

De um jeito ou de outro, eles vão aparecer, apesar da nossa maneira de administrar nossas vidas, porque viver é uma longa caminhada por entre desertos e oásis, avenidas congestionadas e vales totalmente abertos, mistérios que a existência prepara para vivermos, diversos pratos exóticos para saborearmos e, através deles, nos descobrirmos.

Mas o fato de saber que existe uma viagem preparada para nós não implica pensar em acomodar-se na vida, desanimar, desistir, porque, por outro lado, exige-se força para realizar a nossa missão no planeta.

O ser humano é parte de todo o universo e, certamente, não é o seu criador e muito menos o seu dono. Essa postura através dos tempos, de senhor todo-poderoso, tem custado ao homem um constante sentimento de impotência e desânimo, porque ele acaba se isolando da realidade, da consciência do universo.

Tudo o que aconteceu foi perfeito! Esse foi o caminho que a existência encontrou para nos ensinar tantas coisas que precisávamos aprender, especialmente determinados comportamentos nossos que não são compatíveis com uma relação de amor.

Ufa! São seis horas da manhã. Lá fora o dia amanhece, o sol começa a desmanchar a neblina que impedia de vislumbrar o horizonte até o final. Lentamente a noite cede espaço ao dia, a escuridão à luz, e meu coração se sente leve por ter escrito tanto, desde que acordei no meio da noite, pensando em você.

Agora tudo me parece claro. Até o que não entendo me parece absolutamente claro.

Escrever para você tem o seu sentido: o ritual de término, não o corte do cordão umbilical, antes de cessadas suas pulsações, mas o nascer de uma onda no mar, depois que a outra se completa.

A compreensão de que os encontros em nossas vidas são preparados muito antes de dizermos "olá" e completados muito antes ou depois de dizermos "adeus".

Vou dormir um pouco antes de ir trabalhar.

À tarde telefono para você.

Agradecimentos

Às pessoas que leram o manuscrito e com comentários me ajudaram a deixar as minhas idéias mais claras quando escritas, especialmente Ulisses Costa, Adriano Satiro, Gervasio e Graça Araujo.

De todo o coração, quero agradecer a Claudia Bava, Rosely Shinyashiki Boschini, Amália Ursi, Horacio e Katia Kleiman, Tide Hellmeister, Silvio Lancellotti e Neide e Gilberto Cabeggi, por me acompanharem em todos os momentos, por serem muito pacientes comigo, e pela força que me deram o tempo todo em que o livro foi produzido. Vocês, além de amigos muito especiais, tornaram este trabalho muito mais gostoso. Adoro viver junto a vocês!

Minha gratidão ao Alberto C. Araujo e a toda a turma do Instituto Gente, por serem pessoas tão lindas e fazerem parte da família amorosa que nós criamos.

Meu carinho às pessoas que confiaram em mim como seu terapeuta, abrindo seu coração e me ajudando a compreender cada vez mais a alma dos seres humanos. Que eu possa sempre dar todo o amor que recebo de vocês!

Obrigado, mil vezes obrigado, a meus mestres por me mostrarem a luz e me acompanharem nesta caminhada.

Que eu consiga retribuir tudo o que recebo da Existência!

Roberto T. Shinyashiki

☑ **SIM. Gostaria de receber gratuitamente informações sobre os lançamentos da Editora Gente.**

Nome: ☐☐☐

Endereço: ☐☐☐

Cidade: ☐☐☐☐☐☐☐☐☐☐☐☐☐☐☐☐☐☐☐☐ **UF:** ☐☐ **Cep:** ☐☐☐☐☐ - ☐☐☐ Com.: ☐ Resid.: ☐

Tel.: ☐☐☐ - ☐☐☐☐ - ☐☐☐☐ **Fax.:** ☐☐☐ - ☐☐☐☐ - ☐☐☐☐ **Data Nasc.:** ☐☐ - ☐☐ - ☐☐☐☐
Dia Mês Ano

E-mail: ☐☐☐☐☐☐☐☐☐☐☐☐☐☐☐☐☐☐☐☐☐☐☐☐☐☐☐☐☐☐ **Sexo:** ☐ M ☐ F

Estado Civil: ☐ Solteiro ☐ Viúvo ☐ Casado ☐ Divorciado

Formação Escolar: ☐ 1° Grau ☐ Superior ☐ 2° Grau ☐ Pós-Graduado

---

Ocupação:

- ☐ Estudante
- ☐ Prendas Domésticas
- ☐ Empregado Setor Privado
- ☐ Empregado Setor Público
- ☐ Empresário
- ☐ Profissional Liberal
- ☐ Autônomo
- ☐ Aposentado

Áreas de Interesse:

- ☐ Marketing
- ☐ Tendências/Estratégia
- ☐ Recursos Humanos
- ☐ Finanças/Economia
- ☐ Psicologia
- ☐ Auto-Ajuda
- ☐ Religião
- ☐ Esotérico
- ☐ Outros: ____________

Onde você comprou este livro?

☐☐☐☐☐☐☐☐☐☐☐☐☐☐☐☐☐☐☐☐

Aspecto mais interessante:

☐ Preço ☐ Autor
☐ Capa ☐ Editora
☐ Assunto

Nº livros comprados no último ano:

☐ Até 10 ☐ 11 - 20 ☐ + 20

☐ Não gostaria de receber promoções de outras empresas.

1
0
0
0
5

DOBRE AQUI E COLE

PRT/SP-5421/99
UP-AC GUAICURUS
DR/SÃO PAULO

CARTA RESPOSTA

NÃO É NECESSÁRIO SELAR

O SELO SERÁ PAGO POR

EDITORA GENTE

)5033-999 SÃO PAULO - SP

DOBRE AQUI